銀座の美人ママと
ダンディ弁護士の

粋《いき》で鯔背《いなせ》なニッポン論

ケント・ギルバート
白坂亜紀

ビジネス社

はじめに

ケント・ギルバートと、銀座の高級クラブのオーナーママ、白坂亜紀さん。

本書を手にとってくださった方々は、この意外な組み合わせに、驚かれているのではないでしょうか。

僕と白坂さんのご縁ができたのは、二〇一八（平成三十）年、白坂さんが代表をされている「銀座なでしこ会」の五周年パーティーで、講演にお呼びいただいたのが最初でした。僕のスピーチは、いつものように歴史観や愛国心がテーマでした。あまりの場違いな感じに、あとで「華やかな女性の集まりに、こんな堅い話でよかったんでしょうか？」と、恐る恐るうかがったところ、白坂さんは「もちろんです。そのお話をしていただきたかったんです」とにっこり微笑まれました。

本文で詳しく触れますが、聞けば白坂さんは、少女時代に体験した日教組の「日本は戦争をしかけた悪い国だ」「残虐な国民だ」という自虐教育にショックを受け、それがきっかけで、その後ご自身の力で、日本と日本人の素晴らしさを再発見されていったそうです。美しくたおやかでありながら、内側は、まるで武士のようにビシッと一本筋の通った女性です。

戦後、ＧＨＱは、「ＷＧＩＰ（ウォー・ギルト・インフォメーション・プログラム）」によって、日本人から自尊心を奪い、独自の文化や伝統まで破壊しようとしました。しかし、白坂さんによれば、ＧＨＱも破壊しきれなかったものが、日本人の高い精神性であり、それを今に伝えているのが夜の銀座だということです。

白坂さんが教えてくれた、銀座の作法と一流の精神とは何なのか？

そんな話題も含めて、日本の歴史と日本人が忘れかけた古き良き日本の心、また日本女性の魅力や、未来を担う子どもたちの育て方など、さまざまなお話をさせていただいたのが本書です。どうぞ最後までお付き合いください。

ケント・ギルバート

第一章　日本人はなぜ「反日」になってしまったのか

第二章

ようこそ「銀座村」へ ～日本人の「粋」が残る街

第三章

日本人も知らない日本の「美徳」

第四章 しなやかに生きる「なでしこ」たち

第五章

日本を元気にする「令和人」育て

第一章

日本人はなぜ「反日」になってしまったのか

私は銀座の〝超右《チョーみぎ》〟のママ

白坂 どうもお久しぶりでございます。こんな形でケントさんと対談させていただけるなんて、たいへん光栄です。

ケント こちらこそ、ありがとうございます。「銀座なでしこ会」の講演ではお世話になりました。確かあのとき、僕の本をお読みくださっているとおっしゃっていましたね。

白坂 そうなんです。いつだったか、お客さまが、「ママもこういうものを読むといいよ」と、ケントさんが産経新聞に寄せられたコラムの切り抜きをくださったことがありました。でも、実は、お客さまに教えていただく前から、愛読しておりました（笑）。

ケント そうでしたか。もともと政治や歴史問題に興味をお持ちだったんですか？

白坂 私は大分県竹田市の出身で、日教組がとても強いところでした。

ケント ああ、大分でしたか。あそこの県教組の組織率は、かつて約九〇％。今でも七〇％はあります。全国の平均組織率は二〇％台ですから、いかに強いかわかりますね。北海道、広島と並んで日教組の牙城とされる県です。

白坂　そうなんです。それで小学校三年生くらいから、夏休み中の原爆投下の日には、必ず全員登校させられて、特別授業を受けなければなりませんでした。

内容は、「日本はこんな卑怯な手を使って戦争を仕掛けたんだ」とか、「南京大虐殺ではこんな残虐なことをしたんだ」など、日本人が、いかにひどいことをしてきたかということばかり。「ウソでしょ？」と目の前が真っ暗になりました。子どもですから、同じ日本人であることが悲しくて、それがずっと心の重荷でした。

そんな時代を過ごして、十八歳で早稲田大学の文学部に入りましたら、そこで新しく出会った友人が「そんなはずはない」と言うん

銀座のクラブ「稲葉」にて。

です。薦められて渡部昇一先生の本を読んでみたら、そこに書かれていたのは、私が子どもも時代に教えられたのとはまったく違う内容でした。そこからは、何が本当のことなんだろう？　と、歴史に興味を持つようになりました。

最近では櫻井よしこさんやケントさんの本を読ませていただき、そこで改めて、私たちは意図的に操作された自虐史観と、それを鵜呑みにした日教組の自虐教育を受けてきたことがはっきりとわかったんです。

大人になると、相当興味がない限り、歴史をもう一度勉強し直そうとはなかなか思いません。特に女性は、むずかしそうだと敬遠する人も多いんです。でも、だからこそ「銀座なでしこ会」で女性たちにケントさんのお話を聞いてもらって、何か問題意識を抱くきっかけになればいいなと思ったんです。

ケント　そうでしたか。みなさんの反応はいかがでしたか？

白坂　私の店の若いホステスなどは、最初はキョトンとしていました（笑）。でも、あのあと、みんなで靖国神社にお参りに行ったんですよ。

ケント　えー、それは嬉しいなぁ。それにしても、銀座のクラブに、僕の本を読んでくださっているママがいたとは知りませんでした。

白坂　銀座では、〝超右のママ〟と呼ばれております（笑）。
ケント　ええ！　そうでしたか。
白坂　日本と日本人の良さをお伝えしたいだけなのですが。
ケント　僕もそうですよ。でも、「愛国心を持ちましょう」などと言うと、右翼のあぶないやつだと思われてしまうんです（笑）。

過去の歴史に、未来を考えるヒントがある

白坂　私も、以前でしたら「国を愛する」という言葉にあまりピンと来なかったと思います。それは、「日本は悪い国だ」という教育をそのまま信じ、自分が日本人であることを、どこか後ろめたく感じていたからだと思います。
　こうした感情は、私だけではなく、戦後教育を受けた大半の日本人が、多かれ少なかれ持っているんじゃないでしょうか。戦後、日本人に何があったのか。そこで失ったもの、逆に誇れるものは何なのか。これまで歴史にあまり興味がなかった人たちにもわかるように、ここでぜひ教えていただけませんか？

ケント　外国人の僕が日本の歴史を教えるなど、恐縮です。ただ、僕も日本に四十年住んでいて、大好きな日本や日本人が誤解され、貶《おとし》められていると感じたことがありました。いちばん大きかったのは、二〇一四（平成二十六）年、朝日新聞が自分たちの従軍慰安婦に関する報道が虚偽だったことを認めた一件です。

戦争中、日本が統治していた朝鮮で、慰安婦にするために女性を暴力で無理矢理連れ出したと証言した男性がいたのですが、その証言はまったくのデタラメだった。朝日新聞は、それを検証することなく、真実であるかのごとく報道してしまったんですね。あとで訂正したものの、そのせいで日本がまるで性犯罪国家のように世界に喧伝《けんでん》されてしまいました。

なぜ、日本人は同じ日本人によって濡れ衣を着せられてしまったんだろう？　そんな疑問を持って調べたところ、戦後、ＧＨＱ（連合国軍最高司令官総司令部）が行った「ＷＧＩＰ（ウォー・ギルト・インフォメーション・プログラム）」の存在にたどり着きました。僕が日本の歴史問題を深く考えるようになったのは、それからです。なにしろ僕が生まれ育ったアメリカという国がかかわっていることでしょう。とても無関心ではいられなくなったんです。

戦後の日本人はマインドコントロールされていた

白坂　「WGIP」とはどんなもので、どんな目的で行われたんですか。

ケント　順を追ってお話ししましょう。

一九四五（昭和二十）年八月十五日、日本はポツダム宣言を受諾し無条件降伏します。つまり敗戦です。ここからサンフランシスコ講和条約が締結される一九五二（昭和二十七）年四月までの約七年間、日本はアメリカをはじめとする連合国の占領下に置かれました。

昭和天皇の玉音放送から十五日後の八月三十日、連合国軍最高司令官ダグラス・マッカーサー元帥が、神奈川県の厚木航空基地に到着します。飛行機のタラップから降りてくるマッカーサーの、黒いサングラスにパイプをくわえた姿は、日本人に強烈な印象を残したといいます。その後、皇居の真向かいにある第一生命ビルにGHQ司令部が置かれ、マッカーサーは占領政策に本格的に着手するわけです。

WGIPは、その占領政策のなかでも最も重要な計画でした。その存在を最初に指摘した『閉ざされた言語空間　占領軍の検閲と戦後日本』（江藤淳　文藝春秋　一九八九年）では、「戦争についての罪悪感を日本人の心に植えつけるための宣伝計画」と訳されています。要するに、「戦前の日本は軍国主義の悪い国だった」「全世界が悲劇に泣いたのは日本のせいだ」「だから日本人は反省しなければならない」と教え込むための洗脳計画です。

白坂　洗脳は、どんな形で行われたのですか？

ケント　新聞、雑誌、書籍、映画、ラジオ、舞台、コンサート……。とにかくすべてのメディアに対する検閲と情報統制を徹底的にやったんです。嘘、誇張、レッテル貼り、誹謗中傷……、こういったものをプロパガンダテクニックと言いますが、ありとあらゆるテクニックを使って、日本人を心理的に追い込んでいったんです。

たとえば、白坂さんも、「日本は真珠湾攻撃という卑怯な騙し討ちを行った」と教えられたかもしれませんが、あれだって都合のいい嘘です。戦後になって関係者の手記や政治的な秘密文書が公開されましたが、それによれば、あれは当時のアメリカ大統領フランクリン・ルーズベルトが日本をあえて挑発し、その方向へ誘導した結果だったと明らかになっています。

南京大虐殺にしても、「便衣兵《べんいへい》」と呼ばれる民間人になりすました中国兵を、日本軍が摘発して逮捕、処刑したことは事実でしょう。ただ、それはどこの戦場でも行われていたことで、戦時国際法に照らし合わせても合法なんです。

一方、日教組が教えるように、婦女子も含む三十万人もの一般人に対する「大虐殺」が本当にあったかというと、それは大いに疑問です。そもそも日本軍が攻略した時点で、南京の人口は二十万人しかいなかったんですよ。戦闘が終わって難民が戻ってきたことで五万人ほど増えたとしても、二十五万人。しかも、どうやって数週間でそれだけの人数を殺せるんですか。

百歩譲って三十万人が殺害されたと仮定しても、そのように大量の遺体や人骨が南京周辺で見つかったという報告はありません。中国は最近になって、三十万人を、いや四十万人だったなどと突然言い出したようですが、何の根拠もないことです。

白坂　私は学校で南京大虐殺の悲惨な現場を絵にしたものを、何枚も見せられました。あいうものを見たら誰だって信じてしまいます。

ケント　戦後すぐ、NHKラジオの第一放送、第二放送で同時に放送された番組に、『眞相はかうだ（しんそうはこうだ）』がありました。これは、GHQ自らが企画し、シナリオをつくって演出を担当したもので、まさにプロパガンダ番組です。

日本が敗戦に至るまでの出来事を「太郎君」という子どもが質問し、それに答える形で、たとえば戦争犯罪人がいかに極悪非道なことをしたか、などをドラマ仕立てで明かしていくという構成です。しかも、ドラマのなかではアメリカ軍のことを「敵」と呼んだりして、いかにも日本人が自ら制作したかのような印象操作までしていました。

これを午後八時からのゴールデンタイムに三十分間も流したんです。ほかに娯楽もなく、食べるものもままならない当時の日本人がこれを聞けば、簡単に騙されてしまいます。

アメリカにとって日本は脅威だった

白坂　ＧＨＱは、なぜそこまで手の込んだ洗脳工作をしなければならなかったのでしょう？

ケント　日本は戦争に負けましたが、戦場では、やられっ放しだったわけではありません。たとえば、一九四五（昭和二十）年二月の硫黄島の戦いでは、アメリカ軍は当初五日で陥落できると安易に考えていました。ところが日本軍は不屈のゲリラ戦でアメリカ軍を翻弄し、結果的に戦いは三十七日間も続き、アメリカ軍にも多大な犠牲を出しました。日本軍は予想以上に強かったのです。それに、自らの命を投げ出して突撃してくる特攻隊の存在も、アメリカ軍にとっては脅威でした。

　このように強い日本が再び戦いを挑んできたら、次はどうなるかわかりません。だから、二度とアメリカに刃向かってこないように、日本人を骨抜きにする必要があったんです。WGIPで徹底的に罪悪感を植えつけようとしたのは、そのためです。

白坂　今お話に出た特攻隊では、「天皇陛下万歳！」と叫んで命を散らしていった若者もいたと聞きます。アメリカ人の目には、天皇陛下の存在はどのように映ったのでしょう？

ケント　日本人が死をも怖れず戦ったのは、天皇陛下を守るためであり、陛下に命令されたからだと考えられていました。ですから、天皇陛下は独裁者で、日本人は天皇陛下に盲目的に従う、カルト集団のように映ったのではないでしょうか。

　正直、僕も、初めて特攻隊のことを知ったときは、ちょっと異様な感じがしました。それに、「現人神《あらひとがみ》」だなんて、一神教を信じるキリスト教的な観点からも理解できなかったし、国王も貴族も持たないアメリカ国民としては、天皇陛下という存在をどう位置づけたらいいのか、さっぱりわかりませんでした。

　ただ、あとになって日本の歴史を猛勉強し、僕を含めたアメリカ人がひどい誤解をしていたことに気づきました。天皇陛下は、決して独裁者として戦争を主導し、命令を下していたわけではありません。確かに戦前の大日本帝国憲法では、天皇陛下は主権者として一切の統治権を意味する天皇大権というものを持っていました。ただ実際には、それを勝手に行使できるのではなく、陛下は、臣下が決めたことを承諾する立場でしかなかったんです。

けれど、当時はまだそうした事情がアメリカにもよくわかっていなかったんですね。とにかく、天皇崇拝が軍国主義に直結し、これを取りのぞかない限りは日本の民主化はあり得ないというのが、当時のアメリカの共通認識でした。

守られた「天皇陛下と皇室」

白坂　昭和天皇は戦争責任を問われて、処刑されるかもしれませんでした。でも、マッカーサーが陛下のお人柄に心を打たれて、その責任を追及しないことにしたと聞きました。

ケント　確かに『マッカーサー回想記』のなかには、そんな記述もありました。昭和天皇が「戦争に関する一切の責任は私にある」と認め、自分はどうなってもいいから、国民を救ってやってほしいという趣旨のことを述べられた。その保身も打算もない立派な態度に、マッカーサーは「骨の髄まで感動した」と振り返っているんですね。

ただし、彼は戦略家でした。日本人は、戦争に負けてもなお天皇陛下を崇拝し、天皇陛下という大黒柱のもとに一つにまとまれる国民です。ということは、天皇陛下を生かしておいたほうが占領統治がしやすく、またアメリカの国益にもなると考えたんじゃないでしょうか。

その国益とは、日本を、ソ連や中国に対する緩衝地帯になるような平和的同盟国にすることでした。相手を叩き潰したところで遺恨を残して、損をするだけです。その場は百歩譲っても、あとで何が国にとっての得策なのかを考える。それが外交の基本です。その意味では、マッカーサーは外交のプロでもあったわけです。

白坂　そのような経緯で天皇陛下を「象徴」とし制定されたのが、現在の日本国憲法ですね。よく「アメリカから押しつけられたものだ」と言われるのはなぜですか？

ケント　本来ならその国の憲法は、その国がつくるべきものです。でも、日本政府がつくった草案は、非常に保守的で、戦前の大日本帝国憲法とあまり変わりがなかったらしいです。結果的に、マッカーサーはＧＨＱの民政局に命じて、たった九日間で草案をつくらせました。その草案が、わずかな修正を加えただけで、そのまま「日本国憲法」として施行されてしまったんです。

そんなわけで、確かにこの憲法は、押しつけられたものでした。憲法第九条で戦争を放棄したのは、強い日本から軍事力を奪いたかったアメリカの都合です。ですから「平和憲法」というけれど、そうじゃない。あれは「平和を願う憲法」なんです。願っているのは誰かといえば、アメリカです。

ただ、天皇陛下や皇室を存続させたことは良かった。日本の皇室は、神武天皇を初代と考えれば、約二千七百年もの間、男系男子によってのみ受け継がれた「万世一系」です。つまり、天皇という存在が日本の歴史の縦軸を担ってきたわけです。これを寸断してしまったら、日本人のアイデンティティもまた危うくなってしまうでしょう。

僕も長年日本で生活するなかで、天皇陛下がいかに国民に愛され、慕われているかを目の当たりにしてきました。日本という国の根幹には、やはり天皇陛下の存在がなくてはならないことを実感しています。ですから、理由はともあれ、マッカーサーが天皇陛下を守ったことは、正しい判断だったと思っています。

日教組はＧＨＱチルドレン

白坂　私も天皇陛下が守られたことは、良かったと思います。それにしても、先ほどのお話でやはり驚くのが、ＷＧＩＰの存在です。日本人がそんな嘘を信じ込まされていたとは、今も知らない人が多いんじゃないでしょうか。

ケント　そうですね。講演などで、参加者に「ＷＧＩＰを知っている人？」と聞いても、手を挙げる人はごくわずかです。ある地方銀行が主催した講演会では、千五百人いたなかで知っていたのは三十人でした。全体の二％程度ですね。

白坂　私が受けてきた日教組の教育方針は、まさにＷＧＩＰそのものだったとよくわかりました。そもそも、なぜ日教組はそんなに力を持ったのでしょう？

ケント　きっかけはＧＨＱが行った公職追放です。一九四六（昭和二十一）年、「好ましくない人物の公職よりの除去覚書」というものに基づいて、公職に就く人のうち約二十一万人が処分されました。そのなかで、日本の昔ながらのいい教育をしていた先生たちも、軍国主義者や国家主義者などというレッテルを貼られ、教育現場から追い出されてしまったんです。
そこに空白が生まれて、流れ込んできたのが、ソ連や中国の思想にかぶれた共産主義者たちでした。彼らはＧＨＱの占領政策と利害が一致して、率先して自虐教育に加担したし、追い出されずに残った教師たちも、追放されるのが怖くて素直にＧＨＱの言いなりになりました。要するに、彼らはＧＨＱチルドレンなんです。

白坂　経済白書に書かれた「もはや戦後ではない」というフレーズが流行したのは、一九五六（昭和三十一）年でした。ですが、私が小学校で自虐教育を受けたのは、そのずっとあとの一九七〇年代です。にもかかわらず、教育現場だけを見れば、まだまだ戦後だったわけですね。

ケント　そうですよ。だいたい、ＧＨＱによる占領は七年半で終了したんです。ところが戦後七十年になる今も、日本人はまだマインドコントロールから抜け出せません。本当の意味で戦後が終わるのはいつになるのでしょう。

白坂　実は私、大学のときに教職を取っていて、大分の母校へ教育実習に行ったんです。

ケント　え！　白坂さん、教員免許も持っているんですか？

白坂　いえ、いえ。教職課程を取っただけです。で、その教育実習のときも、まだ学生なのに日教組に加入させられそうになりました。試験に合格して採用になったらすぐに活動できるようにだと思います。

ケント　加入しないといたたまれないような雰囲気なんでしょう。すごい包囲網ですね。最近は、日教組の加入率も全国平均二〇％台に下がっています。それでも、まだ影響力は大きいですからね。

白坂　そうですね。特に私の地元では、加入しないと学校の仕事がし辛い状況になるのだと思います。

アメリカ式の「教育委員会制度」は失敗だった

ケント　日本の教育委員会も、もっとしっかりしてほしいですね。

アメリカの教育委員会は、レイマンコントロールといって、それぞれの学校区の住民の意思を教育制度に反映させるために、専門家ではない人が選挙で委員に任命されて組織されています。選挙ですから、たいてい教育熱心な親が立候補してくれますので、ある程度常識的な運営ができるんですね。日本の教育委員会も、そもそもは、このアメリカの制度に倣ってつくられたものでした。やはりGHQの占領時代のことですが、アメリカの教育視察団が訪日し、教育委員会制度の必要性を訴えたのが始まりです。

ただ、教育委員会そのものはいいのですが、想定外だったのは選挙でした。当時結成されたばかりの日教組が総動員で委員の席を牛耳ってしまったんです。これが大問題になって、結局、選挙は取りやめ。現在のように、地方自治体の長が議会の同意を得て委員や教育長を任命するスタイルになったと聞いています。

白坂　調べましたら、任命資格のなかの一つに「教育、学術及び文化に識見を有する者」とあります。でも、こう言ったら失礼ですが、あまり識見のなさそうな教育熱心でない人が、教育長になることが多いんです。

ケント　区長や市長の友達がなるんでしょ（笑）。一部には、問題意識や使命感が薄い人もいます。だから現場の教師の質も上がらないし、教育の内容もなかなか見直されません。

日本人の道徳心は国の財産

ケント　これまでお伝えしてきたように、WGIPは、日本人の精神を改造しようとしたものです。歴史だけでなく、伝統や文化、道徳心といったものまで根こそぎ否定し、自分の国に誇りを持てなくなるような教育が行われるようになったわけです。

白坂　それまであった修身の授業がなくなり、教育勅語も否定されました。でも、教育勅語に書かれていることは、「親に孝行をつくしましょう」「兄弟姉妹は仲良くしよう」「夫婦はいつも仲むつまじく」など、ごく当たり前のことばかり。いったいどこがいけないのかと、首をひねってしまいます。

ケント　教育勅語は、天皇陛下が国民に対して語りかける、いわゆる「お言葉」の形になっています。そんな理由で、天皇崇拝を強要しているとみなされたのでしょう。日教組と、いまだにGHQのプロパガンダの手先をやっている一部の左翼メディアが、これをまるで軍国主義の経典であるかのように目の敵にしているんです。森友学園問題のとき、子どもたちに教育勅語を暗誦させていることに大騒ぎしたのも、そんなメディアです。

白坂　アメリカには、これと似たような道徳的な教えのようなものはあるんですか？

ケント　ちょっと違いますが、愛国心を表す「忠誠の誓い」という言葉があります。「私はアメリカ合衆国の国旗に忠誠を誓います。そして、すべての人々に自由と正義が存する、神の下で分かつことのできない一つの国家である共和国に忠誠を誓います」。ほとんどの学校の生徒たちは、この言葉を毎朝星条旗に向かって朗唱するんです。もちろん大人が公式行事などの席で行うこともあります。

僕も幼稚園に入ったときから高校を卒業するまで、毎朝欠かさず学校でやりました。この誓いを立てるときは、みんなサッと起立して星条旗に顔を向け、右手を左胸の上に当てるんです。

白坂　スポーツの大会などで国歌が流れると、アメリカの方はそのポーズをされますね。国を愛する気持ちが表れていて、見ていてとても清々しいです。

ケント　でも、それを「右翼」と呼ぶ人もいるわけです。教育勅語もそうでしょう。あれはいいものだと言っただけで、「危険思想」とか「ネトウヨ」などと決めつけられてしまう。

白坂　道徳心には、政治的意図なんてないんですけれどね。私も会員になっているんですが、「倫理法人会」といって、経営者が倫理や昔ながらの道徳を学ぶ全国組織があります。私は最近あまり参加できていませんが、みなさん早朝に集まって、熱心に勉強していらっしゃいますよ。

ケント　だから、銀座で〝超右のママ〟なんて言われるんですね（笑）。まあ、それは冗談として、人を導く経営者には道徳心や倫理観は必要ですよ。戦後、途絶えたと思われた道徳の教えですが、やはり心ある日本人は、そうやって大切に持ち続けてきたんですね。
教育現場での道徳教育も、やっと復活したようです。二〇〇六（平成十八）年、第一次安倍内閣のときに教育基本法が改正され、それから時間はかかりましたが、小学校では二〇一八（平成三十）年度から、中学校では二〇一九（平成三十一）年度から「特別の教科」として授業が行われています。

白坂　正義感や人を思いやる心、自分を律する心など、道徳には子どもたちの成長に必要なことが凝縮されていると思います。そういう教育が、いじめなどの問題の突破口になってくれたらいいのですが。

愛国心のなさが、政治への無関心を呼ぶ

白坂　「忠誠の誓い」のお話が出ましたが、アメリカの方々は、堂々と愛国心を表現するんですね。でも日本人は、日の丸を掲げたり『君が代』を歌うことに、やはりどこか気恥ずかしさを覚えるんです。

ケント　結局それも洗脳で、知らず知らずの間に、愛国心を持つことに罪悪感を植えつけ

られているからです。だから、白坂さんがおっしゃったように、どこか後ろめたい。「日本が好きですか？」と質問すると、たいていの人が「まあ、好きです」と答えるのに、「では、あなたは愛国者ですね」と言うと「とんでもない！」とムキになって否定するのは、そのせいです。

でも、それっておかしいですよね。僕が若い人に言いたいのは、自分がなぜそんなふうに「愛国」という言葉に過剰に反応してしまうのか、一度じっくり自分の頭で考えてほしいということです。いつまでもＧＨＱや日教組の嘘を刷り込まれたままではいけません。そうでないと、自分が生まれ育った日本という国の良さまで否定することになってしまいます。

実は僕は、政治に興味がない日本人が多いのも、ＷＧＩＰの副産物ではないかと思っているんです。先日も、僕のブログに、ある中年の女性からコメントをいただきましたが、そこには、こう書かれてありました。「私は小さい頃、母親から戦時中日本はアジアで悪いことをしたと教えられました。だから、今、中国や韓国から批判されても仕方ないと思うようになりました」と。けれど、その女性は、だんだん投げやりな気持ちになってしまったというんですね。だって、いくら仕方ないとは思っても、一方的に自分の国の悪口ばかり言われれば、誰だって嫌になりますよ。結果的に、彼女は「もう何も聞きたくない」と耳を塞いでしまった。つまり、自虐史観はやがて無関心を生むということです。

白坂　心のなかで「どうせ日本なんて……」と思っているから、政治に何があっても、もうどうでもいいと無気力になってしまうんですね。

ケント　そう。だから選挙に行かないし、行ってもどこの政党を支持していいかわからない。それで、共産党に票を入れてしまったりするんです（笑）。一応権力に対して意思表示をしたつもりかもしれませんが、こんな無駄なことはありません。

白坂　選挙は、自分の意見を政治に反映させられる貴重な機会なのに、もったいないですね。

ケント　そうなんです。政治にあまり関心がないという日本人が多いのは、テレビ局にも問題があると思っています。日本のワイドショーは、どうしてあんなにグルメ情報ばかりなんですか？（笑）。もっと政治の話を放送してもいいんじゃないでしょうか。そうすれば、お母さんたちももっと政治に敏感になるでしょう。そうなれば、子どもも政治に関心を持つようになります。子どもは、お母さんからの影響がとても大きいんです。

白坂　本当にそうですね。

GHQのご用聞きだったマスメディア

白坂　新聞やテレビなど、日本のメディアの一部も愛国心がないと思いませんか？　ケントさんがおっしゃった朝日新聞の従軍慰安婦の件もそうですが、なぜ日本人にとって不利益なことを率先して報道するのでしょう。

ケント　新聞社やテレビ局は、戦後GHQのプロパガンダの片棒を担いだおかげで、巨大な既得権を築きました。だから今でも、「日本は悪い国だ」「日本は醜い」という考え方が基本にあります。そのため、行動原理が左翼思想で「反日」なんです。僕は長くメディアに出る側の人間でしたが、右派寄りの発言をしようとして、何度突然CMに切り替えられたことか（笑）。

たとえば、沖縄の米軍基地移設問題にしてもそうです。反対運動をしているのは、市民ではなく、県外から来ている左翼の活動家たちで、いわゆる〝プロ市民〟。しかも、デモ隊に参加しているのは、一日二万円のアルバイトで雇われたサクラです。その問題で『朝まで生テレビ！』に出たときは、田原総一朗さんに「誰がそんなお金を払ってるの？」と聞かれて「中国共産党です」と答えかけたら、やはりブチッとCMに切り替わりました（笑）。

白坂　視聴者はそこがいちばん知りたいのに（笑）。

ケント　そうでしょう。そして、自分たちはそんなことをやっているのに、政府がマスコミに対して「その報道は事実と異なる」とクレームを入れると「言論弾圧だ！」と騒ぎ出す。僕はあれも不可解です。政府はただ自分たちの見解を述べただけ。言論弾圧というのは、いきなり記者が逮捕されたり、テレビ局が放送免許を剝奪されたり、あるいは新聞や雑誌なら、発禁処分になるような事態が起きることです。政府からクレームがつくとマスメディアが萎縮すると言いますが、それだって、メディアの側が勝手に忖度《そんたく》しているだけでしょう。

白坂　今の若い人は、もうあまりテレビを観ないし、新聞もとっていない人が大半です。その代わり、ツイッターやフェイスブック、ユーチューブなどで情報を得ています。インターネットに流れる情報は玉石混交ですから、何をどう取捨選択するかという問題はありますが、それでも最初から偏向した報道を押しつけられるよりは、いいのではと思います。

ケント　僕もDHCテレビが配信している『真相深入り！　虎ノ門ニュース』という番組に出ていますが、既存のテレビ局のような予定調和もなければ、忖度も脚色も印象操作もありません。だから本音で話せるし、視聴者の反響も大きいんです。

白坂　今回の対談でケントさんに銀座の街をご案内させていただきましたが、あのとき、「虎ノ門ニュース、観てます！」と声をかけてきた若者がいましたね。お寿司屋さんの職人さんのようでしたが。

ケント　そうでしたね。ああいう若い人がよく観てくれているんです。

他にもツイッターやフェイスブック、ブログで、今起こっていることや自分の意見をリアルタイムでどんどん発信しています。朝日新聞などに取材されても、彼らは自分たちの都合のいいところだけを切り取って報じるんです。だから僕は、インターネット時代、大歓迎なんです。

日本人のルーツを教えてくれる神話の世界

白坂　令和元年の即位の礼では、天皇、皇后両陛下のパレードが印象に残っています。特に皇后雅子さまの晴れやかなお顔を拝見して、たいへん嬉しく思いました。これを機に雅子さまの人となりも報道され、若い人に、新しい皇后陛下は、素晴らしいキャリアを持った女性だと知ってもらえたことも良かったと思います。

ケント　うちの女房は、以前から雅子さまの大ファンでした。英語で書かれた『プリンセス・マサコ』という本を熟読して、雅子さまをいじめる人は許さないと息巻いていました（笑）。ですから、皇后陛下になられて大喜びしています。

白坂　饗宴の儀で、世界各国の要人と、通訳なしでご歓談される雅子さまのお姿も話題になりましたね。

ケント　あのお姿は国内外に非常に好印象を与えました。僕は、天皇陛下が皇太子時代にお目にかかってお話しする機会をいただいたことがありましたが、天皇陛下もお人柄が素晴らしく、英語も完璧です。まさに新しい日本の象徴としてふさわしいお二人だと思います。

白坂　元号が変わったことで、改めて『万葉集』を手に取ったり、日本の歴史や伝統に興味を持った人も多かったようです。

ケント　神話ブームにもなりましたね。僕はアメリカの大学で日本文学を専攻していたので、その時代『古事記』も『日本書紀』も読みました。さすがに原文ではむずかしいので、読んだのは、ドナルド・キーン先生の序文がついた翻訳本でした。両方とも日本という国の誕生から、八百万《やおよろず》の神々が繰り広げる神話の世界がまず描かれ、続いて人間が登場して、天照大神《あまてらすおおみかみ》の血を引く天皇が日本を統治していく歴史が描かれています。どちらも日本人の生活や信仰、世界観などを知ることができて、とても興味深いものでした。

ところが、日本に来てみたら「読んだことがない」と言う人が多くて驚きました。でもそれも、調べてみるとやはりＧＨＱの政策の影響だったんですね。ＧＨＱは、プレスコードという報道の検閲も行いました。そのなかには「神国日本の宣伝」という項目があって、そのために、天皇陛下や皇室について学ぶことがタブーになってしまったんです。当然、『古事記』や『日本書紀』に書かれた神話を、学校で教えることもなくなりました。ですから、令和の時代になって、神話を知る人が増えたのは良かったです。

白坂　そうですね。今の時代なら、日本の古典文学の一つとして知っておくのも決して悪いことじゃないと思います。

ケント　同感です。キリスト教の世界でも、旧約聖書の冒頭には、「神は六日間かけて地球と人間を創り、七日目に休まれた」という天地創造の物語が書かれています。たとえ話のようなものでしょうが、アメリカの学校では、日本の神話と同じで、教えてはいけないことになっています。でも、それは自分たちの文化の土台になるものです。これは神話だと明確にして教えれば、何の問題もないと思います。

白坂　今、白駒妃登美《しらこまひとみ》さんという方が、そうした神話を含め、歴史をひもといて本を出版されたり、講演を通じて、日本人の生き方の素晴らしさを伝えていらっしゃいます。全国の小学校も回っているようですよ。

ケント　確か、竹田恒泰《つねやす》さんのお弟子さんで吉木誉絵《のりえ》さんという若い女性も、歌で『古事記』の世界を伝えています。番組とイベントで何回か共演したことがあります。こうした動きが、ただの一過性のブームに終わってほしくないですね。

平和ボケから抜け出そう

ケント　ところで、白坂さんは、今の日本は平和だと思いますか？

白坂　今のところは一見何事もなく、平和に見えます。でも、お隣の中国や韓国との摩擦は相変わらずですし、二〇二〇（令和二）年は、年明け早々、アメリカとイランの緊張が高まってハラハラさせられました。日本は、その中東海域の公海に、自衛隊の護衛艦を派遣することになりました。

ケント　野党は、そんな危険なところへ自衛隊を派遣すべきではないと言っています。でも、自衛隊すら派遣できないようなところから、日本で使う原油が運ばれてきているわけですからね。

白坂　ええ。そういうことも考えますと、本当に平和だとは言えません。

ケント　そうなんですよ。たとえ今が平和に見えたとしても、それがずっと続く確証はありません。そんな状況なのに、「日本は何もしなくていい」なんて言うのは、やっぱり僕は平和ボケだと思うんです。平和ボケって英語に訳せないんですが、あえて訳すとすれば、「自分も含めて、誰も何もしなくても、ずっと今の平和が続くと勘違いしている人たち」のことですよ。

戦後の日本が平和だったのは憲法第九条のおかげだと言う人もいます。でも、戦争がなかったのは単なる奇跡。現実問題として日本を守っているのは、九条ではなく、日米安保条約であり、アメリカなんです。

ただ、これからもアメリカが一方的に日本を守ってくれるのが当たり前だと考えるのはおかしな話です。どこの国だって、自分の国は自分で守るべき。アメリカの若者が、安保条約があるからといって、日本のために死ぬでしょうか。逆の立場になって、「日本がアメリカを守ってくれるのは当たり前でしょ」なんて言われたら、「冗談じゃない」と怒りますよね。

白坂　確かにその通りです。では、どうしたらいいんでしょう？

ケント　ただ「戦争反対」と叫んでいても、世界は決して平和ではなく、戦争に巻き込まれるリスクも減りません。これからは、ただアメリカに頼るだけではなく、敵を牽制《けんせい》できるような、日本独自の抑止力を高めておくことが大事だと思います。

白坂　戦争しないための抑止力ですね。

ケント　そうです。僕だって戦争は絶対に反対です。あくまでも戦争にならないためにはどうしたらいいかを考えたいんです。

白坂　私も戦争反対です。だからこそ、政治や国際問題に無関心ではいけないと思っています。「銀座なでしこ会」にケントさんをお呼びしたのも、女性たちにそういう意識を高めてもらいたかったからです。

ケント　ありがとうございます。みんなで平和ボケから抜け出しましょう。

第二章

ようこそ「銀座村」へ
～日本人の「粋」が残る街

夜の銀座に残る、日本人の「粋《いき》」の精神

白坂　ＧＨＱの「ＷＧＩＰ（ウォー・ギルト・インフォメーション・プログラム）」は、日本の伝統文化、日本人の精神性まで奪おうとしたというお話でした。確かに、戦後、日本人は変わってしまったのかもしれません。ただ、私が働く銀座という街には、昔ながらの日本人の良さが残っているのではと思うことがよくあります。

そこで今日は、ケントさんに夜の銀座をご案内させていただきました。私の店、クラブ「稲葉」にも足をお運びいただきましたが、いかがでしたか？

ケント　いやあ、興味深かったです。僕は宗教上の理由でお酒を飲まないこともあって、銀座の高級クラブにおじゃましたのは初めてです。美しい女性が隣に座ってお酒を飲むというような社交文化は、僕が知る限り日本だけじゃないかな。

白坂　そうだと思います。ときどき外資系企業の社長さんが部下を連れていらっしゃることがありますが、外国の方にはなかなか理解しづらいかもしれません。お酒を飲むだけなら、ほかにもっとリーズナブルなお店はたくさんあるのに、銀座のクラブは、座っただけ

でお一人三万円から五万円はします。何が楽しいんだとおっしゃる方もいます。

ケント　正直、僕もそう思います（笑）。いったい何が楽しいんですか？

白坂　いちばん大きいのは、自分で言うのもお恥ずかしいのですが、私たちのようなおもてなしのプロがいて、ビジネスで疲れた心と体をゆっくり癒やせることじゃないかと思います。ただ、それだけではありません。お亡くなりになった作家の渡辺淳一先生は、「銀座は夢と希望と気取りの街。私はここで書く意欲をかき立てられた」とおっしゃいました。ひと言で言い表すのはむずかしいんですが、銀座には不思議な魅力があるのだと思います。その一つが、日本人が昔から大切にしてきた

銀座のクラブは第二の秘書室。女性たちの気配りで、和めるひとときを提供。

「粋」という美学が、脈々と受け継がれていることではないでしょうか。

ケント　その粋という言葉の微妙なニュアンスも、僕のような外国人にはなかなか理解できないんです。

白坂　江戸時代には、たとえば「着物の柄は横縞より縦縞のほうが粋」などと、身なりのことまで細かく箇条書きにされていたそうです。でも、なぜ縦縞のほうが粋なのかといえば、それこそ理屈じゃありません。ですから日本人でも説明しづらいんです。これはもうＤＮＡに組み込まれた美意識としかいいようがありません。

ケント　今日の白坂さんもお着物をお召しです。そういう着物の着こなし方にも、粋か、そうでないかがあるんでしょう?

白坂　銀座の女性の着付けは、これもまた独特なんです。

ケント　キリリと美しく、洗練されていて素敵です。

白坂　ありがとうございます。着物は私にとって仕事着、つまり戦闘服のようなものです。プライベートでは娘が二人いるのですが、彼女たちが小さい頃は、この格好で家の近所をうろつこうものなら、「ママ、やめて」と嫌がられました（笑）。

ケント　そうですか（笑）。ところで、浮世絵を見ると、江戸時代の男性の着物は茶色やねずみ色、藍色などが多く、案外地味なんですね。ただ、チラッと見える裏地が派手で凝っていたりする。

白坂　江戸時代は、幕府がたびたび華美な衣装を禁止する法律を出したそうです。江戸っ子は反骨精神があったというんでしょうか、その禁止令を逆手にとって、一見地味でも細部にこだわりがあったり、手の込んだ細工の根付けやキセルなどの小物を身につけて、彼らなりの粋を表現したといわれています。これ見よがしにお金をかけるのでなく、隠れたところでおしゃれを楽しむ。そういうところも、日本人の美意識なんですね。

それから、身なりだけでなく、ものの考え方や振る舞いにも粋の哲学がありました。たとえば「宵越しの銭は持たない」に代表される気っぷの良さであるとか、「武士は食わねど高楊枝《たかようじ》」の痩せ我慢の美学などがそれにあたります。先ほどの江戸時代の箇条書きには、「他人様《ひとさま》のために尽くせる人が粋で、自分のことしか考えないのは野暮」などとも書かれているんですよ。

ケント　粋は、道徳的な信念でもあるんですね。

白坂　そうなんです。粋という価値観は、もともと江戸時代の遊郭から生まれたといわれていますが、遊郭でいちばん〝いい男〟とされたのは、見返りを求めない男性だったそうです。

ケント　お金をたくさん持っている人じゃなく？

白坂　それもあったでしょうけれど、ただお金にものを言わせるような態度は、江戸時代でもやはりバカにされたんです。遊郭のような遊びの場でさえ、損得抜きで人のために何かできるような人間的な器の大きさに、昔の日本人は粋を見たんですね。そして、そんな美意識を今も受け継いでいるのが、夜の銀座なんです。

銀座は男を磨く街

ケント　それはどんなところに表れるのですか？

白坂　先ほど銀座のクラブは座っただけで三万円から五万円が相場と申しましたが、これは滞席時間がたとえ十分でも一時間でも同じ。銀座は時間制ではないんです。ですから、極端なことをいえば、オープンからラストまでお店にいらっしゃることもできるわけです。

でも、粋なお客さまは、決してそういうことはなさいません。お店が混んできて入れないお客さまが入り口にいらしたら、長くいた方がサッと席を立って空けてくださる。なかには来店して二十分くらいしかたっていないのに、他の方のために席をお譲りくださるお客さまもいらっしゃいます。いくらお金を払ったからといっても、自分だけが席を独占するのは野暮の極みと心得ていらっしゃるのです。そんな日本人らしい気配りができるのが、銀座のお客さまなんです。

ケント　初心者はそのタイミングがむずかしいですね。

白坂　特に混んでいなければ、一時間半から二時間くらいが目安と考えてくださるといいと思います。大切な接待などで、どうしても話が長引くことがあります。そんなときは「ワイン一本入れてくれる？」などと、さり気なく気づかってくださるお客さまもいらっしゃいます。

ケント　マニュアルがない分、自分で経験を重ねていくしかないですね。

白坂　はい。マナーや会話術、周囲を思いやる人間力。「男として必要なことは、すべて銀座のクラブで学んだ」とおっしゃるお客さまもいます。そんなお客さまは、たいてい誰に対しても丁寧です。若い黒服のボーイにも「○○さん」と、ちゃんと名前で呼び、決して「おい」とか「おまえ」などと横柄な態度で呼びつけたりはしません。こういう方は部下をお連れになったときでも、上司風を吹かせることもないんです。和気藹々と楽しくお飲みになって、本当に粋なお客さまです。

ケント　江戸時代に遊郭に来る男たちもそうだったんでしょうか？

白坂　そうだと思います。遊郭の花魁《おいらん》は、たとえ指名されてもすぐにはOKしなかったそうです。一度目、二度目は、わざと待たせてお客さまをイライラさせる。そのとき、従業員に威張り散らしていないか、お酒の飲み方がきれいかなど、花魁のほうがお客さまの人となりを見て審査したらしいです。そうやって花魁のお眼鏡にかなった男性だけが、お客さまとして受け入れられたんですね。

ケント　男性にとって花魁は、まさに高嶺の花ですね。

白坂　そんな花魁に認めてもらいたくて、江戸の男たちも懸命に自分を磨いたのではないでしょうか。

遊郭から受け継がれた「永久指名制」

白坂　それから、遊郭のしきたりがそのまま受け継がれているのが、銀座の「永久指名制」です。江戸時代の遊郭では、お客さまは「この花魁」と決めたら、他に浮気をしてはいけないのが決まりでした。銀座でも、たとえば最初にA子ちゃんをご指名されたら、彼女がお店を辞めない限り、A子ちゃんがずっとそのお客さまの担当になります。キャバクラのように、お店に行くたびに好きなホステスを指名できるわけじゃないんです。

仮にA子ちゃんがケントさんの担当だとすると、ケントさんがお連れになったお客さまや紹介してくださったお客さまも、A子ちゃんの担当になります。

ケント　いろいろなホステスさんを、勝手にテーブルに呼ぶことはできないわけですね。

白坂　ヘルプという形で他の女の子がご一緒させていただくことはあります。ただ、売り上げは、あくまでも担当ホステスのものになるんです。

お客さまとお食事をしてから店へお連れする「同伴」や、営業時間のあと、お客さまと一緒にお食事やカラオケなど他店へ行く「アフター」という接待があるのですが、こうした接待も、ヘルプの女の子がさせていただくことがあります。ヘルプの子は、自分の売り上げにはなりませんが、同伴やアフターをすれば成績につながりますから、お客さまも「付き合わせちゃって、悪いかな」などと気になさる必要はありません。言葉は良くありませんが、担当ホステスが本妻なら、ヘルプは本妻が認めた女友達のような感じでしょうか。

ケント　なんだか、ややこしいシステムですね。

白坂　そうなんですよ。でも、ルールがあるから、逆に楽しいのかもしれません。歌舞伎や武道、茶道や華道にしても、型や決まり事のなかで技を極めていくのが伝統的な日本文化です。夜の銀座も、それに似たところがあります。節度を守りつつ、いかに上手にスマートに遊ぶか。それが、男性の器量を磨くことにつながると考えられているんですね。

ケント　ルールを知らないと、ちょっと敷居が高い。銀座は「男」を試される場でもありますね。

モテる男性は女性を口説かない

ケント　先ほど、銀座のクラブは女性を口説く場所ではないとおっしゃいました。お客さんとホステスさんが恋愛に発展することはないんですか？

白坂　もちろん人間ですから、ないとはいえません。ただ、実際そうなるのは、宝くじが当たるくらいの確率だと思います。

ケント　なるほど、ほぼゼロということですね。そこを勘違いして、ホステスさんに本気で迫るような人はいませんか？

白坂　ごく稀にですが、ギラギラしたタイプの方もいらっしゃいます。でも、銀座のお客さまは、基本的には、みなさん粋な遊び方をご存知です。

たとえば、前にもお名前を出させていただいた渡辺淳一先生は、銀座のクラブで「最もモテる男」として有名でした。

あるとき、「どうしたらそんなにモテるのですか？　秘訣があったら教えてください」とお尋ねしたら、「クラブでモテる秘訣は、女性を口説かないことだ」とおっしゃいました。どんな女の子とも明るく楽しく飲んで、決して一人の子だけに入れ込まない。やはり、そんな余裕と品のある男性が、女の子たちには人気です。

でも、そんなお話をすると、「えー、口説かないなんてできないよぉ」とおっしゃるお客さまもいます。もちろん、絶対口説いてはいけないというわけではないんです。ただ、それはあくまでも会話を楽しむための疑似恋愛。あからさまに「今日、高級フレンチをご馳走してやったんだから、俺と付き合え！」などと言うのは、それこそ見返りを求めている証拠で、「粋」の精神に反します。結果的に女の子たちから嫌われてしまうんですね。

ケント　疑似恋愛を楽しむには、ホステスさんの側にも、高度なテクニックが要求されるんじゃないですか？

白坂　そうなんです。ストレートに、「今夜、付き合わない？」「ダメです！」（笑）。これではお客さまも興醒《きょうざ》めです。先ほど「銀座は男を試される場」とおっしゃっていただきましたが、もてなす側の私たちも、常に女を磨いていかなければなりません。特に大事なのは話術で、そこが私たちホステスの腕の見せどころです。

ところが、最近のホステスは、その話術が苦手な子が多いんです。「君、かわいいね」と言われただけで、何も言えずに固まってしまった子もいれば、「一晩どう？」とささやかれて、どうしていいかわからず「はい」と返事をしてしまった子もいます。

この場合、お客さまは本気で口説いているのではなく、どうかわしてくるかを楽しみにされています。それなのに「はい」と返されたのでは、お客さまもシラけてしまわれます。

ケント　会話にも粋なセンスが必要ですね。

白坂　江戸時代には、粋な会話には、「そらし」の技術が大事と言われたそうです。お客さまを決して傷つけず、でも、わざとハズしたり、かまをかけたり。そんなちょっと色っぽい駆け引きの妙で、最後にはワハハと笑っていただけるような場をつくる。それが、私たちホステスの役目です。

なかにはお客さまに対して「ダメでしょ！」などとビシッと叱る〝姉ごキャラ〟のホス

テスもいるんです。でも、それも一つの粋な遊び。大企業の社長さんなど、普段は誰からも叱られませんから、「あの子、面白いねぇ」と、それはそれで楽しんでくださるんです。もちろんそれが許されるのは、お客さまとの一歩踏み込んだ人間関係を築いてからですが。

ケント　すごい。プロの技ですね。

白坂　ＯＬさんには真似できない特殊能力だと思います（笑）。そんなことを体験していただくのも、銀座にいらっしゃる醍醐味かもしれません。

銀座のクラブは「第二秘書室」

ケント　駆け引き上手なだけでなく、銀座のホステスさんたちは、日経新聞をくまなく読むほど勉強熱心だとも聞きました。

白坂　やはりお客さまの多くがビジネスマンです。お話が弾むには、ある程度の知識や教養が必要です。今は大卒のホステスも多いのですが、ひと昔までは満足な教育を受けていない子がほとんどで、当時のママたちは、かなり厳しく仕込んだそうです。

「日経新聞をくまなく読みなさい」と指導したのもその世代のママたちで、さすがに今はそこまではしません。昔は情報といえば新聞くらいだったかもしれませんが、今はインターネットもあります。それに、以前なら「お客さまには、野球とゴルフの話を振っておけば間違いない」と言われましたが、今はお客さまの興味の幅も広がっています。ですから日経新聞を隅から隅まで読むより、もっと幅広くいろいろなことを知っていたほうがいいんですね。私も朝起きたらテレビをつけっ放しにして耳から情報を入れ、出勤前の美容院ではいろいろな新聞や雑誌をまんべんなくめくって、興味を持ったことや話題になりそうなことのポイントだけを覚えておくようにしています。

ただ、その知識をお客さまにひけらかしてはホステス失格です。私たちが勉強するのは、お客さまのお話をきちんと理解し、適切な相づちを打って会話を盛り上げるため。つまり、聞き上手になるための準備なんです。

ケント　見えないところで、そんな努力までされているんですね。

白坂　クラブは、お客さまが取引先の接待にお使いになる場でもあります。大事なお得意さまをお連れくださったのに、会社名を聞いてもちんぷんかんぷんで、「それ、何をつくってる会社なんですか?」などと聞いては、お客さまに恥をかかせてしまいます。常日頃いろいろな知識をインプットしておけば、すぐにピンと来て「私、あの商品の大ファンなんです」なんてことも言えます。それをきっかけに話が盛り上がり、商談がうまくいくこともあるんですよ。

ケント　へえ、そうなんですか。ビジネスのお手伝いまでしているわけですね。

白坂　お客さまのなかには「今日、夕方から接待になったから頼むね」と連絡をくださる方もいらっしゃいます。そうすると私たちは、接待に使う料理屋さんの予約からお土産の手配までさせていただくんです。

ケント　それって、本来なら社員がやることじゃありませんか。

白坂　銀座のクラブは「第二秘書室」と呼ばれております。

ケント　まさに秘書ですね。お給料もらわなきゃ（笑）。

白坂　いえいえ、その分ちゃんとお店の売り上げに貢献してくださいますから。ほかにも、アイドルのライブチケットが欲しいと頼まれたこともありますし、ご家族のご病気でお困りのお客さまに相談されて、お医者さま探しに奔走したこともありました。「どこかにいい人材いない？」と聞かれてご紹介させていただくことや、ビジネス・パートナーとして常連のお客さま同士をお引き合わせすることもよくあります。

ケント　そんな優秀な秘書なら、どこの会社でも欲しがりますよ。ホステスさんのお仕事は、本当に奥が深いですね。

白坂　私もホステスになりたての頃は、その奥深さに感動しました。うちの店には、優秀な大学を卒業して、「稲葉」を就職先として選んでくれたホステスもいます。夜の銀座で、一般企業とはまた違った形で自分を生かせる仕事ができるのでは……と、そんなふうに思ってくれているようで私も嬉しいし、育てがいがあります。

「ホステス道」を極める

ケント　粋とは見返りを求めないことだとおっしゃいましたが、今のお話のように話術で楽しませ、秘書のように尽くしても、それがすぐに売り上げに結びつくわけじゃありませんよね。

白坂　はい。ホステスは、見返りを求めない「おもてなし」と、お金をいただく「サービス」を同時に行う仕事です。お客さまの横で笑顔で楽しい会話をすると同時に、お客さまにボトルを入れていただくために頭を働かせなくてはなりません。お客さまに店にいらしていただきたいときも、あからさまに「今日来て?」とか「明日はどう?」などとお誘いすることはありません。そういうダイレクトな言葉を使わないのも、銀座のホステスの美学なんです。

ケント　では、どうやって営業するのですか？

白坂　とにかくコツコツ、メールを送ることでしょうか。前日来てくださったお客さまに感謝のメールをお送りするのはもちろん、そうでないお客さまにも、ご挨拶やちょっとした近況報告のようなものをお送りします。

ケント　僕も、「稲葉」におじゃました翌日、若いホステスさんからお礼のメールをいただきました。ああいうものには返信したほうがいいんですか？

白坂　どちらでもかまわないんですよ。返信したらまた行かなくちゃいけないわけでもありませんし、私たちもお返事を期待してやっているわけではありません。

それでもそうやってメールをしておけば、たとえば久しぶりに銀座へいらしたお客さまが「いつもメールをくれる彼女の店へでも行ってみようか」と思い出してくださるかもしれません。

ケント　それもまた地道な努力ですね。忙しいのは夜だけかと思いました。

白坂　店は平日の午後八時から十二時までですが、その後「アフター」で朝までお付き合いすることもあります。それでも翌朝は必ず七時に起きて、メールを書いたりお手紙を書いたりしています。あと、土日はゴルフです。

ケント　それもお付き合いですか？

白坂　もちろんです。ケントさんはゴルフされますか？

ケント　僕は全然ダメ。タレントをやっていた時代、亡くなった大橋巨泉さんに番組でお世話になりましたが、その巨泉さんが大のゴルフ好きでした。それで一度、彼が主催するハワイのゴルフコンペに「ケントもおいでよ」と誘われたことがあったんです。でも、ハンディを聞かれて「三ケタです」と答えたら、「来るな！」と（笑）。以来、二度と誘われませんでした。僕は、恥ずかしながら、ボーリングもゴルフもスコアが一緒なんですよ。白坂さんはお上手なんでしょう？

白坂　いえいえ、下手ですよ。でも、早いです。私たちは、数字よりもお客さまの足手まといにならないことが大事なんです。ですからうちの女の子には「さっさと打ちなさい」と言って、その場で素振りなんかさせません（笑）。

ケント　それにしても、トランプ大統領と安倍総理もそうですが、経営者や偉い人はみんなゴルフで人脈をつくるでしょう。アメリカでも、「開業医に電話して留守なら、ゴルフ場を探せ」と言われるくらい、セレブはみんなゴルフ三昧です。僕は酒も飲めないしゴルフもしないから、成功のしようがありませんよ。すみません、話がつい脇道へそれました。
とにかく白坂さんの日常を聞いていると、すべてがお客さまのため。ご自分の時間などないんじゃありませんか。

白坂　おもてなしは、いくらやっても「これでいい」という到達点がありません。私たちには、気力、体力、精神力、女子力、コミュニケーション力……と、いろいろな力が必要で、これを極めようとしたらまだまだ足りないことだらけです。私は「ホステス道」と呼んでいるのですが、百人入ったとして、半年後には一人生き残っているかどうかというくらい、この道は厳しく過酷です。
でも、だからこそやりがいがあるのかもしれません。

銀座は男のステータス

ケント　銀座のクラブには、今のお話のように自分を磨きながら闘っている女性たちが大勢いるんですね。そして、そんな女性に見合った男性たちが、引き寄せられるように足を運ぶ。確かに刺激的で面白そうです。

白坂　講演で地方へ行かせていただく機会が増えましたが、みなさん「一度は銀座のクラブに行ってみたい」とおっしゃってくださいます。

ケント　日本の男性にとっての憧れなんですね。

白坂　そうかもしれません。特に、昭和四十年代あたりまでは、銀座のクラブにいらっしゃれるのは、政財界の大物や著名な文化人や芸能人など、キラ星のごとく選ばれしお客さまだけでした。ですから、銀座に通える男になることが、一種のステータスだったんです。

その後は少し間口が広がりましたが、それでも銀座のクラブはステータスシンボルであり続けました。自分も出世して「銀座の男」になろう。そんな夢を原動力に、仕事に励んだビジネスマンたちも多かったと思います。確か、昭和の終わりくらいまでは、『週刊新潮』にも、高級クラブのママを紹介する「クラブ」という連載ページがありました。私も読んでいたのでよく覚えています。そうした記事が人気を集めるくらい、男性にとって銀座のクラブは特別な場所だったんですね。

先日、二十年以上お付き合いのあったお客さまがお亡くなりになりました。お酒も銀座、食事も銀座、洋服をあつらえるのも銀座と、銀座が大好きな方でした。ご葬儀に伺うと、その方の取引先のみなさんが集まっておられて、帰りの電車で、なかのお一人とお話しさせていただく機会がありました。長野の会社の方で、亡くなったお客さまがお元気だった頃は、呼び出されてよく長野から銀座のクラブに通っていらしたそうです。

その方が、しみじみとおっしゃるんです。「何度銀座へ行ったでしょう。こんな田舎者でも、あれだけ連れて行かれると、『ああ、銀座ではこうやって飲むのが粋なんだな』とわかるものですね。あの方には、銀座を教えられました。そのことに、本当に感謝しているんです」と。

ケント　日本の高度経済成長を支えてきた人たちですね。

白坂が経営する日本料理「穂の花」にて。落ち着いた雰囲気のなか、素材にこだわった旬の料理を提供。

白坂　はい。あの世代の方々は、とにかく銀座が大好きです。子どもが放課後を楽しみにするように、仕事が終わるとすっ飛んで銀座に遊びに来るような方たちなんです。ある料理屋の女将さんの話では、昔の銀座のお客さまは、早くクラブに行きたくてコース料理の途中でいなくなっちゃったらしいです（笑）。メインが出るか出ないかの頃には、もうソワソワし始めて、最後まで悠長に召し上がるなんてことはなかったとおっしゃっていました。

ケント　今はどうですか？

白坂　私も料理屋を経営させていただいていますが、最近のみなさんは、デザートまでしっかり召し上がります（笑）。

ケント　昔の男性はそれほど好きだったんですね。まさに「クラブ活動」ですね。

白坂　本当、そうなんです。クラブで目一杯飲んで遊んで「ああ、楽しかった。明日も頑張ろう！」と、そんな感じだったんじゃないでしょうか。

ケント　元気でしたね。

白坂　「二十四時間戦えますか？」の時代でした。それを言うと、うちの女の子たちに「ブラックです！」とあきれられますが（笑）。

酔っ払い文化は廃れたか？

ケント　そんな時代に比べると、今はお酒のマナーも変わったんじゃないですか？　二十年くらい前になりますが、ある団体の講演会に呼ばれて、その後そこの若い人たちと食事をご一緒したことがありました。そうしたら、みなさん、まあ飲むわ、脱ぐわで大騒ぎ（笑）。当時は、酔っ払って脱ぐのは当たり前で、人に見られてもいいようにパワーパンツと呼ばれる派手な下着を買うんだと言っていましたよ。

白坂　銀座でも、有名な広告代理店の方々がそのパターンでした（笑）。さすがに今はそういう方はいらっしゃいません。そもそも、最近のお客さまは、みなさん遅くまで飲まないんです。うちの店はビジネスマンが多いので特にそう。たいてい十時とか十時半くらいにはお帰りになるでしょうか。十時を過ぎてからいらっしゃるのは、IT系の若手社長さんくらいです。昔はホステスも酔っ払っていましたが、それも今はなくなりました。私もうちの女の子にはあまり飲ませません。弱い子だと寝ちゃうこともあって、お客さまにご迷惑をかけてしまいますから。

ケント　それだと売り上げが上がりませんね。

白坂　その分、私が飲みますから（笑）。私は九州出身ですので、お酒が好きですし、強いんです。γ-GTPの値というのは普通一〇〇以下だそうですが、私はひどいと七〇〇くらいまで上がってしまいます。検査で病院に行きますと、「七〇〇もある人なんか初めて見ました、ワハハ」と大笑いする先生と、激怒する先生とがいらっしゃいます（笑）。人ごとのように言っている場合ではないのですが、これも職業病。野球選手が肩を壊すのと一緒だと思っています。

ケント　大丈夫なんですか？

白坂　はい。お酒は私が自分に許している唯一の愉しみです。一週間に一度は節制しますし、その他の健康管理はかなり気をつけていますので、大丈夫です。

　ケントさんは、まったく召し上がらないのですね。

ケント　そうなんです。それでもお酒の席にも行きますし、雰囲気に酔うほうですからみんなと一緒に盛り上がっています。それに日本ではお酒の付き合いをしないと、仕事にならないこともあるでしょう。東京で就職したばかりのとき、その件で女房と真剣に話し合いましたよ。「じゃあ、週に二回までね」と許可をもらいました。

バー文化を育む「銀座村」のしきたり

白坂　今回、ケントさんには、私の店だけでなく、保志雄一さんという方がオーナーバーテンダーをされている「Ｂａｒ保志」にもご案内させていただきました。お酒を召し上がらないのに、たいへん失礼いたしました。

ケント　いえ、保志さんのお話がすごく興味深くて面白かったです。

白坂　私もプライベートで保志さんのお店へよくおじゃまします。お酒もとても美味しいのですが、知識が豊富でオシャベリが楽しいんですね。私にとっては、ホッとくつろげるひとときです。

ケント　アメリカで史上最年少の下院議員になった、アレクサンドリア・オカシオ＝コルテスという女性が、今、熱狂的な支持を集めていますが、彼女が元バーテンダーなんです。ものすごく話し上手なのは、そのせいかな。

白坂　バーテンダーは、おもてなし上手でなければ務まりません。その議員の方も、人の気をそらさない話術がおありなんでしょうね。

ケント　保志さんは、確かこの道四十二年とおっしゃっていましたね。

白坂　銀座にいらしてからは二十五年くらいだと思います。ご自分では「銀座ではまだまだ若輩者」だとご謙遜されていますが、この業界では〝伝説のバーテンダー〟と呼ばれるほどの実力者で、数々の賞も受賞されています。いちばん有名なのは、旬のフルーツを使ったカクテルで、なかでも「さくら　さくら」と名づけられた作品は、最高の権威を誇る世界大会で優勝もしているんです。

ケント　僕のために、わざわざフルーツを使ったノンアルコールのカクテルをつくってくださいましたが、びっくりするほど美味しかったです。

「Bar保志」にて。写真左が“伝説のバーテンダー”、オーナーの保志雄一さん。

白坂　銀座には、「Ｂａｒ保志」のようなオーセンティックバーと呼ばれる店が約四百店舗あって、世界のどこにもないバー文化をつくり上げています。そもそも、バーの発祥はイギリスだとかメキシコだとかの諸説がありますが、今は、日本、しかも銀座のバーテンダーの技術が世界でトップと言っていいそうです。

ケント　シェーカーの微妙な振り方で、実力に差が出るようですね。

白坂　ええ。氷の温度、振り方、振る回数で、氷の溶け具合、空気の量などが全部違うそうです。しかも、バーテンダーは、見えないシェーカーのなかが今どんな状態なのか、指に伝わる感覚でちゃんとわかっているんですね。たとえばグラスに注いだとき、氷がキラキラと散るように振るとか、空気をたくさん入れてカクテルがふわふわと膨らむように振るなど、そうした高度な振り分けは、「銀座シェイク」といって、日本人にしかできない技術だそうです。

ケント　保志さんのお話では、海外から来た人がその様子を撮影してユーチューブで世界中に公開しているそうじゃないですか。それを、気前よく「どうぞ、どうぞ」と許しているのだから器が大きいですね。

白坂　バー文化の発展に貢献できるならと、国内外問わず、どんどんご自分の知識や技術を伝えていこうというのが保志さんのお考えなんです。銀座には、そんな保志さんを慕って修行中の若いバーテンダーが集まってきます。そういう若者も受け入れて、保志さんが定期的に勉強会を開き、教えているんですよ。

ケント　保志さんのお話で僕がいちばん印象的だったのは、銀座はそういう横のつながりを大切にする特殊な街で、それを「銀座村」と表現されていたことです。銀座村では丁寧に人も育てるけれど、一方で村独特の美意識や伝統があって、それに反すると、銀座で商売することはできないと。

保志雄一さんがつくってくれたオリジナルのカクテルで、乾杯！

白坂　子供服の老舗「ギンザのサヱグサ」の四代目社長でいらした三枝進さんはそれを「銀座フィルター」と名づけられ、私たちもそう呼んでいます。一流のお客さまが集まってきますから、店もそれに恥じない存在でなければならない。たとえば、ゴミの出し方が悪いだけでご近所から注意されることもあります。みんなが銀座の誇りを傷つけないように相互に見守っていますから、こんな歓楽街でも治安が良くて、犯罪はとても少ないんです。

ケント　保志さんは「カクテルは飲んでしまえば消えてなくなる一瞬の作品です。でもそこに生まれた感動は、お客さまの胸に刻まれる。だから最高のものをお出ししたい」とおっしゃっていました。銀座の底力を感じました。

チップが飛び交ったバブル時代

ケント　ここでちょっと時代を振り返ってみたいと思います。僕が本格的に日本に住み始めたのは、一九八〇（昭和五十五）年、東京の国際法律事務所に就職したのがきっかけでした。日本がいちばん活気のあった時代で、やがてバブル景気に沸き立ちます。白坂さんは、バブルの頃は何をしていらっしゃったんですか？

白坂　早稲田大学の文学部に通う学生でしたが、アルバイトで入った日本橋のクラブで雇われママをしていました。当時は女子大生ブームだったこともあって、私も〝女子大生ママ〟などとのせられて、テレビや雑誌の取材を受けることもありました。

ケント　あの時代は、日本人が世界各地の不動産を買いまくり、海外旅行へ行けばブランド品を買いあさる。世界からは「ジャパン・アズ・ナンバーワン」ともてはやされて、国全体がすっかり浮かれていました。

白坂　夜の世界も大繁盛で、とにかくチップがすごかったんです。こうやって着物を着てますでしょ。するとこの襟の内側に、お札をギュウギュウ詰め込まれるんです。昔はもっと襟を大きく抜いていましたから、入れやすかったんですね（笑）。ドレスのときは、胸元にグイグイ押し込まれてたいへんでした。

ケント　へえ、そのお金はどうしたんですか？

白坂　その頃からいずれ自分の店を持とうと考えていましたので、自宅に帰ると、とりあえず全部箱に入れておいたんです。そのまま入れっ放しで、実際店をやるとき開けて数えてみたら、五百万円くらい入っていました。

それに、ゴルフデビューもいきなり海外でした。お客さまから「パスポート取っておいて」と言われて、何だろうと思ったら「ハワイへ行こう」と。しかも、二組のお客さまと私たちホステスとで、八席のファーストクラスを独占ですよ。まだ大学生だったのにそんな贅沢させていただくなど、今考えると、普通じゃありませんね。

ケント　あの頃は、みんな普通じゃなかったでしょう？

白坂　そうでしたね。クリスマスイブには外車をレンタルして、彼女とドライブ。赤プリ（赤坂プリンスホテル）に泊まって、ティファニーのオープンハート（ネックレス）をプレゼント……というのが、カップルの定番でした。二十代の男の子が、一晩で三十万円や五十万円も使っていたんですよ。

ケント　そんなお金、どこから出てきたんですか？

白坂　全部アルバイトです。私の同級生のなかにも、アルバイトだけで月収五十万円くらい稼いでいた子もいました。それほど景気が良かったんですね。

ケント　そういえば、当時はダンプカーのドライバーも月収が七ケタだったと聞いたことがあります。いくらでも稼げた時代でしたね。

白坂　一方で、バブルの華やかさについていけなかったり、疑問や虚しさを感じていた若い人たちもいました。そんな若者の心の隙間に入り込んだのが、オウム真理教のようなカルト宗教だったんじゃないかと思います。

ケント　そうですね。なんとなく孤独で、大学のサークル気分で入信してしまった人もいたでしょう。

白坂　早稲田はオウム真理教の信者がすごく多かったんです。「ああ言えば、上祐」と言われた上祐史浩氏も私より学年は上ですが、同じ早稲田でした。他の主要メンバーはほとんど私と同世代でしたから、同級生のなかにも信者がたくさんいて、私も誘われてセミナーに行ったことがありました。

好奇心でのぞいただけですが、「今の日本人はこのままでいいのか？」と感じて、別の何かを求める気持ちは、なんとなくわかる気がしました。日本人が見栄と金銭欲に取り憑かれてしまった時代です。

ケント　本当に異常でした。当時は仕事で移動するのに、新幹線のグリーン車を取るのもたいへんでした。今はガラガラですが。

白坂　私も家の近所で駐車場を探すのに苦労しました。中央区の下町ですが、やっと借りられたところは、立体駐車場なのに月七万円！

ケント　それは高過ぎる。やっぱり普通じゃないですよ。

女社長でも、水商売でも認められる時代になったのか

ケント　ご自分の店を持ったのはいつ頃ですか？

白坂　大学を卒業してからしばらく修行して、銀座五丁目に最初のクラブ「稲葉」（現在はラウンジ「稲葉」）をオープンさせたのが一九九六（平成八）年です。二十九歳でした。「稲葉」は、私の故郷、大分県竹田市を流れる川の名前から取りました。それから三か月後、もう少し格式の高いこのクラブ「稲葉」を、七丁目にオープンしました。

ケント　二十代で銀座のクラブのオーナーママ。しかもたった三か月の時間差で二店舗もお店を開くなんて、大した経営手腕ですね。

白坂　ありがとうございます。でも、自分の力だけじゃないんです。当時はちょうどＩＴバブルの真っ只中。八〇年代のバブルほどではないにしろ、とにかく景気が良かったんですね。銀座のお店はどこも繁盛していて、おかげさまで私の店も順調そのものでした。そして、二〇〇三（平成十五）年に今度は三軒目になる「Ｂａｒ66」をオープンしたんです。

ケント　すごいチャレンジ精神だなぁ。

白坂　たまたまいい時代にスタートしたので、意欲的に挑戦して真面目に努力さえすれば必ず成功すると単純に信じていました。調子に乗っていたんですよ（笑）。ただ、努力だけではどうにもならないこともあるんですね。この後、私は地獄を見ました。

ケント　何があったんですか？

白坂　リーマン・ショックです。

ケント　ああ、やられましたか。

白坂　バーの経営もうまくいき、次にチャレンジしてみようと考えたのが料理屋の経営でした。ただ、順調とはいえ借金も多少あったし、資金的に余裕があったわけではありません。料理屋はこれまでとは違う分野ですから、躊躇《ちゅうちょ》する気持ちもありました。

そんなとき、ビジネス誌を開いたら「中小企業の社長さん、助けます！」というA銀行の広告がドーンと大きく載っているのが目に入ったんです。実は、それまで銀行ではさんざん苦労してきました。お金を借りようにも「女の社長はダメ。ましてや水商売なんてお話にならない」とはっきり言われたこともあります。だから、どうせ今回も断られるだろうと半ばあきらめつつも、開店資金の相談をすることにしたんです。

ところが、行ってお話をしてみたら、「そんなの古い、古い。今は決算書の評価さえ良ければ、女の社長だとか水商売だとかは関係ないんですよ」と上機嫌。五千万円という大金をポンと貸してくれたんです。

ケント　担保なしですか？

白坂　なしです。その後、B銀行、C銀行からもあっさり融資が下りて、合計で約一億円を借りることができました。そのときは、やっと水商売もちゃんとした法人として認めてくれる時代になったと喜んでいたのですが、甘かったです。単純にバブルでお金が余っていて、水商売でも何でもいいから借りてくれる人を探していただけなんですね。そんなことは知りませんから、結局、資金ができたことに背中を押されるようにして、二〇〇三（平成十五）年、料理屋「銀座きくち」（現在の店名は「日本料理　穂の花」）をオープンさせました。

泣きじゃくるエリート銀行マン

ケント　その後、リーマン・ショックが起こるわけですね。

白坂　はい、忘れもしません。二〇〇八（平成二十）年の九月十五日です。銀行はその直前に不穏な空気を察知したんでしょうね。まだ世間は何も知らないのに、A銀行の担当者から突然連絡があり、私が借りた五千万の融資商品はなくなったから、「今すぐに全部返済してください」と冷たく言われました。間を置かず、B銀行もC銀行も同じように催促してきました。

ケント　いわゆる貸し剝《は》がしですね。

白坂　そうです。本当に突然のことで、驚きました。でもその数日後、「リーマン・ブラザーズ経営破綻！」のニュースが世界中を駆け巡り、私も事情を知りました。

それにしてもひどいものです。「どうぞ借りてください」と揉み手で貸しておいて、今度は居丈高に「返せ、返せ」と恫喝《どうかつ》するんですから。

ケント　前のバブルのときの貸し方もメチャクチャでしたよ。生きていれば、誰にだって貸してくれたんですから。僕も弁護士やタレント業とは別に事業をいくつかやっていたので、当時、無担保で億単位のお金を借りました。幸い僕の場合、うまくいかない事業からはさっさと撤退しましたので、貸し剝がしにあう前に返済できましたが。

白坂　そうでしたか。私の場合、気づいたときはもう遅かったんです。店のほうはすぐに客足が途絶えることはなかったのですが、年が明けたらガクッと売り上げが落ちました。

お客さまには営業のメールや電話もしましたが、反応なし。その頃から、本当の地獄が始まりました。

とにかく、取り立て方が尋常じゃないんです。「あなた銀座のママでしょう。男を騙してお金をつくることなんか朝飯前でしょう」とも言われましたし、「あなた、お嬢さんが二人いますね。お嬢さんでお金をつくれるって知ってますか」と脅されたこともありました。本来なら立派な紳士なはずの銀行マンがですよ。

ケント　ひどいですね。それじゃあ、ドラマに出てくるヤミ金融のヤクザと同じじゃないですか。

白坂　ただ、その銀行マンとは後日談があるんです。そこから借りていた千五百万円を、なんとか工面して返済したときのことです。その担当者が菓子折を持ってお礼に来たんです。私としては顔も見たくない気持ちでしたが、挨拶が済んでもなかなか帰らないんですよ。仕方がないので「ビールでも飲みますか？」と聞いたら「はい」って（笑）。

ケント　そんな優しくしてあげなくていいのに。

白坂　それが、ビールをついだら、彼が突然泣き出したんです。「あんなひどいことを言ってしまって、本当に申し訳ありません。でも、僕にも娘が二人います。お金を回収しなければ、クビを切られて家族が路頭に迷います。それを思ったら、やるしかありませんでした……」と。

立派な身なりをした銀行マンが、声を出して泣きじゃくるんです。たいへんな時代が来てしまったと思いました。

私が死んだら、夜の銀座の繁栄はない

ケント　その頃、銀座の他のお店はどんな様子だったんですか？

白坂　二〇〇九（平成二十一）年の三月頃くらいから、周辺のお店がバタバタ潰れ始めました。お店を畳んでどこかへ逃げてしまった人もいましたし、自殺者も出ました。

私もその頃は心身ともに疲れ果て、夜も眠れないような状態でした。あんなに賑やかだった銀座の街がシーンとして、どこか重苦しい空気が流れました。

ケント　最初に五千万円借りたA銀行からの取り立ては？

白坂　貸すときは「女社長だろうが、水商売だろうが関係ありませんよ」と満面の笑みだったのに、「水商売とは取り引きしないことになったから」とけんもほろろ。まさに手の

ひら返しでした。私の担当は銀座支店の支店長でしたが、多分、本店の上層部からきつく言われたんだと思います。

　ですが、飲食店がひしめく銀座のど真ん中にある銀行が、水商売と取り引きしないなんて、自分の首を絞めるようなものじゃありませんか。私ももう精神的に限界に来ていたので、つい啖呵《たんか》を切ってしまいました。「支店長さん。この五千万を今すぐ返せとおっしゃるなら、私には死んで返すしか方法がありません。私が死んだら夜の銀座の繁栄はなくなりますが、それでもいいんですか」と。

ケント　かっこいい！　よくおっしゃいました。

白坂　いいえ、あのときはもう本当に八方塞がりのギリギリの状態で……。自分でも何だかわからないうちに、自然と口から出てしまったんです。そうしたら、支店長さんはしばらく考え込んでいましたが、結局その場で、私の借金を不良債権を扱う子会社に移す手続きをしてくださいました。そちらに借り換えれば、無理せず少しずつ返すことができるからと。上との相談なしでしたから、支店長さんもサラリーマンとしてはギリギリの決断だったと思います。

　二〇〇九年という文字を見ると、今でも胸がギューと苦しくなります。我ながらよく乗り越えたと思います。
そして翌年二〇一〇（平成二十二）年は、久しぶりに賑やかな年明けでした。「もう景気は回復するよ」とおっしゃるお客さまも多く、やっと長いトンネルから抜け出した気分でした。でも、一難去ってまた一難。二〇一一（平成二十三）年三月十一日の東日本大震災です。

銀座のネオンが消えた日

ケント　東日本大震災は日本にとってたいへんな試練でした。被災された方々の悲しみやご苦労には比べようもありませんが、原発事故の影響で計画停電もあって、経済活動もかなりダメージを受けました。あのとき、銀座はどんな様子だったんですか？

白坂　文字通り、銀座の灯は消えました。大通りにあるビアホール「銀座ライオン」の看板がほんのり灯っているだけで、あとはもう本当に真っ暗。人の気配もほとんどありませんでした。あんな銀座を見たのは初めてです。

ケント　少し落ち着いてからも自粛ムードが続きましたね。当時僕は六本木ヒルズにオフイスを構えていたんですが、管理会社に、節電のためだと、天井の蛍光灯を半分取り外されてしまいました。しかも、明かりが煌々《こうこう》とついているのを外から見られて、「不謹慎だ」と苦情が来るのを避けるために、午後五時を過ぎるとブラインドを必ず閉めるように指導されました。実はあのビルは、自分のところで発電するコージェネレーションシステムだったので、逆に電気が余って売れるほどでした。

被災地の方々がたいへんな思いをしているのに、自分たちだけがのうのうとしているのは申し訳ないという感情はわかります。でも、気をつけないと、結果的に人を非難するだけが目的の〝不謹慎狩り〟になってしまうこともあります。

白坂　私のところも、抗議のメールが次から次へと送られてきましたし、お店を開いていたら、入り口に「非国民！」と書いた貼り紙をされたこともありました。

ケント　非国民とはひどいですね。戦時中じゃあるまいし。

白坂　ある方からは、「こんなときに店をやっている場合じゃない。飲食店の組合に声をかけて、クラブやバーは当面休業にしなさい」とお叱りも受けました。でも、その方は、銀座の貸しビル業。「私たちが商売しなかったら、お家賃を納められませんよ」と申し上げたら、「えっ……」と言葉を失っていらっしゃいましたが。

銀座はしばらく電気が消えたままでした。暗がりのなかで、ホステスたちのバッグを狙うひったくりが横行し、組合を通して「女性は建物側にバッグを持って、なるべく集団で歩いてください」という通達まで出ました。確かに、一人で歩いていたら、路地から突然人がヌッと現れたりして、何度か恐い思いをしました。街は変わり果て、ここが銀座だとはとても思えませんでした。

銀座は景気を映す街

ケント　店を開いていても、お客さんは来なかったんですか？

白坂　しばらくはほとんどいらっしゃいませんでした。うちは私と同郷のお客さまも多いのですが、小さなお子さんがいらっしゃる方のなかには、放射能汚染の心配をされて、九州の地元へ避難してしまわれた方もいます。

「もう銀座を博多に移すしかないね。あっちでみんなでやり直そう」と、本気でおっしゃった方もいます。そのくらい逼迫《ひっぱく》していました。あのときは、いったいどうやって従業員にお給料を払っていたんだろうと思います。

ケント　せっかくリーマン・ショックを乗り越えたのに。

白坂　本当にそうです。震災から一か月くらいたった頃だったでしょうか。すぐ近所で料理屋を営むご主人が、ボロボロ泣きながら店先のお掃除をしていました。長年銀座で店を開くのが夢だったそうです。ところが、念願叶って店をオープンさせたのが、震災一日前の三月十日。翌日からお客さまは一人も来なかったそうです。「店を畳んで田舎へ帰ります」と肩を落としたご主人の姿に、胸が締めつけられる思いでした。

ケント　銀座にお客さんが戻ってきたのは、いつ頃ですか？

白坂　その年の十一月か十二月頃だったと思います。被災地の東北の方々が、「銀座からネオンが消えたら、日本の景気が回復しないし復興が遅れます。私たちは自粛してほしいなどとはひと言もお願いしていません」とメディアで発言してくださったんです。それがきっかけで、少しずつ人通りが増えてきて、私も恐る恐る店の看板のスイッチを入れました。完全に元に戻ったのは、年が明けてからでした。

ケント　それにしても、世の中に何かあると、銀座は真っ先に影響を受けますね。第一次オイルショックの終わりかけの頃、僕は沖縄で働いていましたが、東京に遊びに来たら銀座のネオンサインが消えていて、あのときも薄暗かったのを覚えています。

白坂　銀座は景気を映す鏡と言われています。大阪の新地のママにうかがったら、「リーマン・ショックなんて全然関係なかったわよ」とおっしゃっていましたから、同じ歓楽街でも違うものです。

ケント　では逆に銀座を見れば、今の日本の経済状況がわかるということですね。白坂さんの目からご覧になって、今はどうですか？

白坂　よくそれを聞かれますが、銀座は今は景気がいいんです。でも、安心できませんよ。落ちるときは、突然ドンと来ます。それが明日か明後日かもしれないのです。私は、そのことをリーマン・ショックでイヤというほど学びました。

第三章

日本人も知らない
日本の「美徳」

落とし物が返ってくる国

ケント　銀座のお話、興味深かったです。銀座には最新のトレンドを発信するブランドショップや、世界中の味が楽しめるレストランなど、それこそあらゆる分野の最先端のものが集まっています。しかし一方で、江戸時代から受け継がれた伝統的な日本人の精神が色濃く残る街でもある。「Ｂａｒ保志」のオーナーバーテンダーの保志さんは「銀座村」と表現されていましたが、まさに他とは違う一つの共同体として独特の文化圏を築き、守り続けてきたことがよくわかりました。

白坂　私もそんな「銀座村」に幾度も助けられ、ここまできました。ですから村の精神を忘れることなく、いろいろな形で〝銀座らしさ〟を発信できたらいいなと思っているんです。それに、銀座だけでなく、日本人全体が持つ本来の良さを、もっと多くの人に知っていただけたらとも考えています。

ケント　そうですね。ＷＧＩＰ（ウォー・ギルト・インフォメーション・プログラム）は、敗戦で打ちひしがれていた日本人から、自尊心を奪いました。もともと謙虚な国民性ですから、「日本は世界に迷惑をかけた悪い国だ」などと教え込まれると、素直に「反省しなければならない」と思ってしまうんですね。けれど、反省も度が過ぎれば、自分の国を否定的にしか見られなくなり、自信喪失につながってしまいます。

実際の日本人は、他の国の人にはない長所をたくさん持ち、世界から驚くほど尊敬されているんです。美化し過ぎは問題ですが、もっと自分たちのいいところに目を向けていただきたいなと僕も思います。たとえば、マナーの良さは間違いなく世界一ですし、約束の時間も守る。それに、とにかくきれい好きです。旅行に来た外国人は、あんまり街がクリーンなので、日本人は無意識に夜中に起き出して、みんなで街の掃除をしているんじゃないかと勘ぐってしまう、などという話もあるくらいなんですよ（笑）。

白坂　さすがに夜中に起き出すことはありませんが、どこの地方でも、街ぐるみでお掃除することはよくあります。銀座でも、ガムで有名なロッテという会社が、毎年一度、新人研修の一環で、銀座四丁目の交差点あたりでガム取りの清掃活動をしているんです。「環境美化に努めています」という企業のアピールもあるかもしれませんが、それでも良いことだと思います。

ケント　新幹線の清掃の方々も素晴らしいですね。走るように車内を駆け巡って、ものすごく短時間で、素早くきれいにしてしまうでしょう。外国人は、あれを見て感動するんです。日本にいると普通に思えることが、海外では驚くべきことなんですね。

白坂　そういえば外国のお客さまがおっしゃっていました。喫茶店でお水が出てくるのはよその国でもあるけれど、なくなったら注ぎに来るのは日本だけだと。言われて初めて、そうかと気づきました。

ケント　お手拭きもそうですよ。コンビニでお弁当を買ってもついてくるでしょう。日本人にとって当たり前でも、アメリカでは見たことがありません。

白坂　あれも日本文化なんですね。江戸時代には、旅籠《はたご》の玄関に旅人のために水を張った

桶と手ぬぐいが用意されていて、旅人は、その手ぬぐいを絞って手足を拭いて疲れを癒やしたそうです。手ぬぐいを絞るところから「お絞り」という言葉ができて、お手拭きもそこからきています。

ケント　それからいちばん嬉しいのは、やはり治安がいいことでしょうか。拳銃も違法だし犯罪が少ない。カメラをぶら下げて歩いていても奪われないし、夜道も一人で歩けます。僕はアメリカの友人や親戚によく言うんです。「海外旅行するなら、ぜひ日本にいらっしゃい。犯罪に巻き込まれるようなことは、ほぼないから」と。

白坂　私がすごく印象に残っているのは、五輪招致のときの滝川クリステルさんのプレゼンテーションです。「おもてなし」の一例として、真っ先に「落とし物が持ち主に返ってきます」とお話しされていましたでしょう。

ケント　そうそう。あれは日本人の正直さを象徴するエピソードですね。

白坂　洋服のポケットにお金を入れたままクリーニングに出しても、たいてい返ってきますしね。日本人は宗教がないから道徳心が育たないと言う人もいます。でも、日本人のなかには、神は大自然に宿っていて、「お天道さまが見ているから、悪いことはできない」という意識がいつも根底にある気がします。

それから、他人を思いやる心ですね。クリステルさんのあのスピーチが有名になったあと、たまたまテレビで、お笑い芸人さんが「落とし物は本当に戻ってくるか」を実験している番組を観たんです。実際にいろいろな場所にお財布を置いて、どうなるか隠しカメラでこっそり撮影するんですね。すると、拾った人全員が、店なら店へ「落とし物です」と正直に届けたんです。ネタばらしで番組のスタッフが「どうして届けたんですか？」と尋ねたら、みなさん、「だって、なくした人が困ると思って」とお答えになっていました。

ケント　そうした思いやりも、日本人の美徳ですね。相手の気持ちを想像して思いやる。これは日本人独特だと思います。

白坂　京都の老舗織物店のお嬢さんで、龍村和子さんというピアニストであり文化プロデューサーをされている方がいます。ご高齢ですが、今も世界中を飛び回って活躍されているんですが、その方がおっしゃっていました。「世界中の人と親しくお付き合いしてみてわかったのは、日本人しか持っていないキャラクターがあるということです。それは『思いやり』です」と。もちろん、海外の方たちにも思いやりの心はあるんです。けれど、ほとんどそれは、家族や近しい友人に向けられるものだそうです。まったく知らない赤の他人にさえ思いやりの心を持つことができるのは、日本人だけだというお話でした。

極限状態にあっても、他者を思う気配り

ケント　それが証明されたのが、東日本大震災ではないでしょうか。被災地の方々の態度が世界に称賛されましたが、東京の人たちも立派でした。あのときは電車やバスが全部止まって、家に帰れない人たちがたくさんいたでしょう。駅の階段には、何百人もの人が連なってしゃがみ込んでいました。そしてよく見ると、その人たちは誰に指示されたわけでもないのに、ちゃんと他の通行人が通れるように、階段の真ん中をきれいに空けていたんです。しかも誰一人騒いだり怒鳴り声を上げる人もいない。極限状態にあっても、日本人は他人に迷惑をかけないようにしようとするんです。他国では絶対に見られない、本当に誇るべき国民性だと思います。

白坂　そんなお話を聞けて、日本人の一人としてすごく嬉しいです。

ケント　いや、本当に日本人は抑制の効いた人々です。僕は四十年日本に暮らして、ほとんど差別を受けたことがありません。逆に外国人だということで、ずいぶん良くしていただいているんじゃないかな。なかには「ケント、それは日本人の欧米コンプレックスだよ」

などと言う人もいます。でも僕は、そうではなくて、それは日本人のおもてなし精神から来ているんじゃないかと思うんです。日本人は、基本的にどこの国の人であろうと、頑張って相手を理解しようとするし、親切にしようとしてくれる。世界各国からやってくる外国人観光客に対する、あの細やかな接客ぶりを見ても、それはわかることです。

白坂 先日も、こんな場面に出くわしました。講演で地方へ出かけたときのことなんですが、夕方電車に乗ったら、ちょうど学生たちの下校時刻で、ある駅から女子高生たちが賑やかに乗り込んできたんですね。そこへご年配の男性が近づいていって「君たち、かわいいねぇ。どこの学校？」なんて、あれこれ話しかけるんです。東京の女子高生なら、多分無視か、「おやじ、ウザッ」なんて言いそうな場面です（笑）。

ところが、彼女たちは男性を邪険に扱うわけでもなく、「〇〇高校です」とちゃんと返事をしてあげていた。いい子たちですよね。そして次の駅で、女子高生たちは全員降りていったんですが、その寸前、なかの一人の女の子がスッと男性のところへ近づいて、その方が持っていた空き缶を「これ、私が捨てておきますね」と受け取り、サッと降りていったんです。それが大げさでもなく、恩着せがましくもなく、本当にさり気ないんです。ちょっとしたことですが、人に対して何かして差し上げようとする、こういう気配りを自然にできるのが、おもてなしの心に通じるのではないかと思いました。

前に、「粋とは、見返りを求めないこと」と申しましたが、通りすがりのおじさんに親切にしたところで、お小遣いをもらえるわけでも、テストの点が上がるわけでもありません。女子高生がしたことは、まさに見返りを求めない行いです。こんな若い人のなかにも日本人古来の精神が息づいているのかなと思ったら、なんだか胸が熱くなりました。

マニュアルを越えた「おもてなし」とは？

ケント　白坂さんからうかがった銀座のホステスさんたちもそうですが、日本のサービス業の方たちのおもてなしぶりは、本当に感動させられます。そこまでやっても、やってもらった側は誰も気がつかないんじゃないかと思うこともあります。

白坂　日本橋髙島屋に、百貨店コンシェルジュの第一人者といわれる、敷田正法《しきたまさのり》さんという方がいらっしゃいます。七十歳を越えておられると思いますが、今も現役で活躍されていて、この方のおもてなしぶりが、まさにレジェンド級なんです。

百貨店のコンシェルジュといえば、催し物や売り場のご案内、お客さまの買い物や贈り物の相談を受けるのが主なお仕事です。でも、敷田さんの場合、それだけではありません。ご自分の店では取り扱っていない商品やブランドについて聞かれれば、たとえライバル店であっても親切にお教えして道案内までされる。その道案内が、すごいんです。

たとえば三越であれば、日本橋髙島屋から二百メートルほど歩いたところにありますよね。その三越へ最短で行ける道をお教えするわけですが、その際、夏の暑い日には日陰が多い道を、冬の寒い日には暖かな日が射す道をと、時々の天候や時間帯によってお教えする順路が違うんだそうです。いかにお客さまに快適に歩いていただくかに、心を砕いていらっしゃるんですね。

ケントさんがおっしゃるように、そこまでやっていることに気づくお客さまはほとんどいないと思います。それでも、お客さまが喜んでくだされればいいというお考えなんでしょう。まさに見返りを求めないおもてなしぶりで、本当に頭が下がります。

ケント　僕は若い人が多い講演会では、よく「プロアクティブになりなさい」とお話しするんです。「プロアクティブ」は、受け身ではなく、自分で考え、自分から積極的に行動することです。おもてなしもそうでしょう。今お話があったコンシェルジュの方のように、ただマニュアルに従うのではなく、「相手がどうされたら嬉しいか」を自分の頭で考え、イメージして行動する。それが、人を感動させることにつながるんじゃないでしょうか。

ただ、接客業に就く若者のなかには、残念ながら、まだプロアクティブとは言えない人も多いんです。僕はよくハンバーガー屋さんへ行くんですが、あるときスタッフへの差し入れにしようと、「ハンバーガー五十個ください」と注文したら、「こちらでお召し上がりですか？」と聞かれました。そこにいたのは、僕一人ですよ。五十個もその場で食べるわけないじゃありませんか（笑）。さすがに「少しは頭を使おうよ」と言いたくなりました。

白坂　ああいうファストフード店には接客マニュアルがあって、従業員は声に出して繰り返し練習するんですよね。だから、つい口から出てしまうんでしょうね。

私も、かなり前ですが、同じような経験があります。まだ幼かった娘と一緒に、あるレストランへ行ったんです。それで、私はお酒が好きですから、ワインをボトルで注文したんです。そうしたら「かしこまりました。グラスはいくつお持ちしますか？」と言われました（笑）。私と、幼稚園に行くか行かないかくらいの娘しかいないのに。まあ、私のように、女性一人でワインをボトル一本飲んじゃう人は、想定外なのかもしれませんが。でもそこは、おもてなしで有名な老舗店だったんですよ。

ケント　マニュアルの弱みは、そういう想定外に対応できないことですよね。決められた通りのことをやる生真面目さは日本人の美点ではありますが、もう少し想像力を持ってほしいなと思うこともあります。

何事も「極める」日本人

白坂　第二章でもご紹介した「Ｂａｒ保志」のオーナーバーテンダー保志雄一さんのフルーツカクテルですが、あれは保志さんがイギリスで飲んで感動して、初めて日本に持ち込んだものなんです。彼が素晴らしいのは、オリジナルをそのまま真似するのではなく、さらに突きつめて、より上質なものにしてしまったことです。

グラスに添えるフルーツ飾りがあるんですが、たとえば柑橘系の果物でかわいらしい小鳥をつくるなど、その細工の美しさと精巧さは、もう本当に芸術的です。こういうものは日本人にしかできない技だと言われています。よそから取り入れたものもとことん極めて、メイド・イン・ジャパンに塗り替えてしまう。日本人はマニアックなので、こういうことが得意なんですね。ファッションにしても、最初は欧米の模倣からスタートし、それを越えた高品質で斬新なデザインを生み出していますでしょう。

ケント　身近な話だとラーメンや餃子も、中国のオリジナルとはかなり違っていますが美味しいです。中国人観光客が喜んで食べているくらいですから。

白坂　パンもそうですよね。あんパンやカレーパン。あれも日本独自です。

ケント　ただ、僕はフルーツサンドだけは、ちょっと違う気がするんです。だって、あれ、ケーキなのかパンなのか……、何だかわからないと思いませんか（笑）。

白坂　あら、そうですか。美味しいじゃありませんか。

ケント　以前アメリカの新聞で紹介されていたのは、工事現場などに置く円錐形のコーンの話です。日本ではあの内側に電球を仕込んであって、暗くなるとセン

サーで自動的に点灯するようになっている。さすが〝ものづくりの国〟だと絶賛していたんです。日本に住んでいる僕には当たり前のことですが、外から見ると新鮮な発想なんでしょうね。最近はクリスマスツリーのようなもっと豪華なコーンもありますから、アメリカ人に見せてあげたいですよ。

白坂　コーンはみなさんの安全を守るためのもの。どうしたらもっと注意を喚起できるのかと、つくり手があれこれ知恵を絞ってくださっているんでしょう。その根底にあるのも、やはりおもてなしの心ですね。

歴史を学ぶとは、ヒーローの生きざまを学ぶこと

ケント　こんなふうに日本人の長所をあげると、きりがありません。世界中が日本を愛しているにもかかわらず、当の日本人がその事実に気づけずにいるのは、歯がゆいばかりです。みなさんには、ぜひ自分たちのいいところを認めて、これからさらに磨きをかけていってほしいと思います。

白坂　私も銀座に残る日本人の精神性や、日本人が世界から称賛されていることをぜひ多

くの方々にお伝えしたいと、ここ数年、拙いながら、講演活動をさせていただいているんです。自虐教育で自信をなくしている日本人に、もっと堂々と胸を張ってもらえたらいいのですが。

ケント　僕は白坂さんのように日教組の教育を受けたうえで、その間違いに気づいた方の意見というのがすごく大事だと思っています。まさにプロアクティブ、つまり、教えられたことを鵜呑みにせず、意志的に自分の頭で考えた結果のご意見ですから。

白坂　ありがとうございます。学校で受けた自虐教育は、幼かった私には衝撃的で、一種のトラウマになりました。このままでは卑屈な人間になってしまいそうで、そのトラウマをなんとか解消しようと自分なりに勉強したのが良かったのかもしれません。

ケント　それにしても、夏休みに生徒をわざわざ登校させてまで日本人を貶めるなんて、日教組は何を考えているんでしょうね。

白坂　ずっとあとになって、小学校時代の先生にお目にかかる機会があり、「どうして夏休みに、あんなひどい授業があったのですか？」と聞いてみたんです。そうしたら、先生は悲しそうな顔でしばらく黙って、それからひと言、「ごめん」と。

ケント　先生も嫌々だったのかもしれませんね。

白坂　私の故郷の竹田市には、「広瀬神社」といって、広瀬武夫《ひろせたけお》という日露戦争の英雄を祀《まつ》った神社があったんですが、そこへもお参りに行ってはいけないと言われたんですよ。

ケント　なぜですか？

白坂　広瀬は海軍中佐でした。日露戦争の旅順港閉塞作戦で、彼が指揮していた船がロシア軍の魚雷を受け撤退したのですが、その際、まだ残っていた部下を助けるために一人船に戻り、そこで敵の砲弾の直撃を受けて戦死したそうです。もともとたいへんな人格者だったことと、自分の命を危険にさらしてまで部下を救おうとしたことが美談として伝わり、日本初の軍神として、生まれ故郷の竹田市に祀られたということです。「杉野はいずこ、杉野はいずや……」と部下を探す様子が歌詞になった文部省唱歌まであったんですよ。

ですが、そんな立派な人が自分たちの故郷にいたなんて、当時はほとんど知らされていませんでした。司馬遼太郎の『坂の上の雲』に出てきて、地元の人たちはみんな「そうだったの!?」と驚いたくらいです。

ケント　日教組は「軍隊は悪いものだから持つべきではない」という刷り込みをしたかった。だから、軍人を英雄視することをタブーとしたんでしょうね。

白坂　そうだと思います。広瀬神社がつくられたのは一九三五（昭和十）年ですが、戦前は普通にみんなお参りしていたそうですから。

ただ、先日、靖国神社をじっくり見学したら、広瀬武夫の遺品がちゃんと展示されていました。最後の陸軍大臣、阿南惟幾《あなみこれちか》も竹田市の出身で、その二人が祀られているのを見て、やはり同郷人として誇らしい思いでした。

ケント　そうでしたか。それにしても、そうした英雄が存在した事実までなかったことにするなんてひどい話です。

僕は、歴史を学ぶとは、ヒーローを知ることだと思っているんです。アメリカの歴史の教科書をご覧いただくとわかるんですが、「何年に何があった」ということより、「誰がどんなことをしたか」に重点が置かれています。そういう勉強を通して、「ああ、そうか。僕たちはこんな素晴らしい国にいるんだな」と、祖国や自分たちに自信がつくわけです。ですから僕たちは歴史上のヒーローの名前や偉業をたくさん知っています。

ところが日本に来てみたら、みなさん、自国の歴史上の人物についてあまりにもご存知ない。特に明治以降の国民的英雄については、学校でもほとんど教えられていないことに驚きました。

白坂　百田尚樹《ひゃくたなおき》さんが『日本国紀』をお書きになったのは、そんなケントさんのお考えの影響もあったとうかがっています。

ケント　あれはいい本ですね。教科書的に歴史の流れを網羅しているわけじゃありません。でも、これまで焦点が当てられなかった、日本人の誇りにつながる歴史を中心にストーリーが組み立てられています。日本人とは何なのか、改めて考える良いきっかけになるんじゃないでしょうか。

世界で語り継がれる「日本人伝説」

白坂　私も、自分の講演では、国内では知られていないけれど、実は世界で称賛されている日本人が大勢いることを、お伝えしようとしています。

たとえばその一つが、トルコ（当時のオスマン帝国）の軍艦の遭難事故です。

一八九〇（明治二十三）年のことですが、親善航海のために日本へ寄港した軍艦「エルトゥールル号」が、帰航の途中、和歌山県の紀伊大島沖で猛烈な台風のために岩礁に激突。沈没してしまったんですね。このとき必死の救助をしたのが、紀伊大島の島民たちでした。嵐のなか、見ず知らずの国の人のために、自分たちの命も顧みず手を差し伸べた。トルコでは、そんな日本人の献身的な救助活動について、時代を超えて今も語り継がれているそうです。トルコが国をあげて親日的なのは、そのときの恩義と日本人に対する深い尊敬があるからだと言われています。

それからもう一つが、ウズベキスタンの日本人捕虜のお話です。終戦直前、日ソ中立条約を破って満州に侵攻したソ連軍は、日本人捕虜をシベリアや中央アジアでの強制労働に送り込みました。そのなかの一部隊が、ウズベキスタンで劇場を建設するという労働に割り当てられたんですね。食事もろくに与えられないなか、それでも捕虜たちは「どうせつくるなら、日本人の意地と誇りにかけて最良のものをつくろう」と工事に専念。約二年間もの月日をかけて、〝汗と涙の結晶〟ともいえるナボイ劇場をつくりあげたんです。

そのナボイ劇場は、ウズベキスタンの首都タシケント市に今もあり、人気の観光スポットだそうです。一九六六（昭和四十一）年、タシケント市は大きな地震に見舞われましたが、他の建物がほぼ全壊したなか、劇場だけが何事もなかったかのように残ったそうです。それを見て、地元の人々は〝奇跡の劇場〟と称賛し、建設した日本人捕虜たちがいかに素晴らしい仕事をしたかを口々に褒め、このエピソードを広めました。あんなに優秀で勤勉な民族は他にいない。そんな話が、キリギス、カザフスタンなど中央アジア全体に伝わり、ソ連崩壊で各国が独立したときには、「日本人を見習おう」を国家目標にした国もあったほどだといいます。

ケント　そうした〝日本人伝説〟は、国内で報道されないだけで、世界にはいくらでもあります。第二次世界大戦でユダヤ人を助けた杉原千畝《すぎはらちうね》もその一人じゃないでしょうか。ナチス・ドイツによるホロコーストからユダヤ人を救った人物というと、すぐに思い浮かべるのは、映画『シンドラーのリスト』でも有名なオスカー・シンドラーかもしれません。けれども、ユダヤ人の歴史のなかでは、杉原はそのシンドラーと同じくらい偉大な人物として称賛されています。

白坂　外交官だった彼が、ユダヤ難民に日本の通過ビザを発行して、六千人の命を救ったと言われていますね。でも、そのおかげで彼は、戦後、外務省を辞めさせられてしまったんです。TVドラマや映画になって広く知られるようになりましたが、それも戦後五十年近くたってからのことです。

ケント　そのくらい日本人は、自分たちの国の英雄の存在を知らされてこなかったんですね。特に戦時中に人道的な考えを持った人物が日本にもいたという事実は、ほとんど隠蔽《いんぺい》されました。それは、自虐教育を浸透させようとしたアメリカにとって、不都合な真実だったからです。

韓国は歴史を正しく学ぶべき

ケント　それに比べて、お隣の韓国では、英雄でもないのに英雄とあがめ立てられている人物までいるんですよ。たとえば、韓国人が最も尊敬する歴史上の人物といえば、独立運動家の安重根《アンジュングン》でしょう。私も韓国の記念館に見学に行ったことがありますが、生い立ちから何からすべてを美化したものすごいヒーローに仕立てられていました。

しかし、彼は今の韓国人が信じているような英雄的な抗日運動家じゃありません。一九〇九（明治四十二）年、安は、日韓協約による日韓併合に反対し、ハルピン駅で伊藤博文を暗殺しました。でも、伊藤博文は、どちらかといえば日韓併合に反対だったんですよ。だから安が殺害してしまったことで、日韓併合が一気に加速した。つまり、自らの短絡的な行動によって、自分が最も望まない結果を招いてしまったわけです。歴史に残る勘違いですよ。

そもそも安は、「欧米の植民地にされたアジアを解放しなければならない」という思想の持ち主でした。でもそれは、結局、日本が提起した「大東亜共栄圏」の思想と同じです。今の韓国人は、戦前の日本の政治思想を忌み嫌っていますが、「あなたの国のヒーローも同じ考えだったんですよ」と言ってやりたいですね。

韓国人は日本を嫌いですが、それは反日教育を受けて、それを鵜呑みにしてしまったからです。自分で疑問を持って歴史をちゃんと勉強した人は、そんな反日思想を持たないんですが、今のままだと大半の国民は間違った歴史しか知らされない。

白坂　理由はあるんですか？

ケント　昔の朝鮮の歴史は、ごく一部の国民が読めた漢文で書いてあります。日本の統治時代にハングル文字が普及したことで、一般人の識字率が劇的に高まりましたが、逆に漢文を読めなくなってしまいました。それに、政権が変わるたびに自分たちに都合のいいように歴史を塗り替えてしまうから、わけがわからなくなってしまうんです。だから、韓国人が本当の歴史を知るためには、相当な苦労が必要です。おまけに、その本当の歴史を知ったうえで人に伝えようとする学者などは、徹底的に弾圧されています。歴史は独立した学問として認知されるよりも、政局に利用される道具になっている状態だと思います。

第四章

しなやかに生きる「なでしこ」たち

女性は「生き方」を模索する

ケント　前にもお話ししたように、白坂さんと僕のご縁は、「銀座なでしこ会」の講演に呼んでいただいたのが始まりでした。どんな経緯でこの会を設立されたのですか？

白坂　きっかけは、「女性経営者の会を設立してはどうだろう？」とお声がけいただいたことでした。ちょうど東日本大震災のあとで、「絆《きずな》」の大切さが叫ばれていた頃です。私自身も、人と人とのつながりを求める気持ちが強かったんですね。女性同士が集まってお互い切磋琢磨し、ときには協力し合い、助け合えるようなネットワークがつくれないかという思いが膨らみました。そこで、意を決してお手伝いさせていただくことになったのが「銀座なでしこ会」でした。

ただ、当初のように「女性経営者」と限定してしまうと、ビジネス寄りの情報交換や人脈づくりだけの場になりがちです。もちろんそれも大切なのですが、私たち女性が模索するのは、生き方そのものです。単に仕事で成功することだけでなく、人生全体を自分らしく、より高めていくことなんですね。

ケント　確かに、男性の場合、出世争いやお金儲けのレースに勝つことが人生のすべてと考える人もいます。しかし、家庭や人間関係を築く喜び、心の充足など、幸せになる要素は一つじゃない。「本当の幸福とは何か?」を考える力は、女性のほうが持っていそうです。

白坂　そうなんです。ですから、「銀座なでしこ会」は、経営者に限らずいろいろな立場でご活躍する女性に集まっていただき、さまざまな角度から自由に意見交換できるような場にしていこうと思いました。

個人の生き方を考えるには、社会のあり方、国のあり方など、大きな視野も必要です。けれど、あまり先走って志ばかり高くしても、空回りしてしまいます。まずは、楽しく気軽に集まれる歌舞伎鑑賞会やグルメ会などの催しを通して女性同士の交流を深め、さらにステップアップして、何か社会とかかわれるような活動ができたらいいなと考えています。

父親との対立、そして自立へ

ケント　女性は生き方を模索するというお話が出ましたが、白坂さんはなぜ銀座のクラブのママという生き方を選んだのか、そのあたりのお話をお聞かせくださいませんか?

白坂　そうですね。子どもの頃から、将来は働く女性になりたいという気持ちだけは強かったと思います。どこかの会社になんとなく就職するというより、何かやりがいのある仕事がしたかった。それで、中学生の頃には、音楽の道に進むという一つのはっきりした夢ができました。

ケント　音楽ですか？　それはまた意外です。

白坂　私の故郷、大分県竹田市は、瀧廉太郎《たきれんたろう》が少年時代を過ごした地でもあるんです。私が生まれ育ったのは、その瀧廉太郎が住んでいた家で、のちに記念館になった建物でした。そんなこともあってか、小さい頃から音楽が大好きで、できれば声楽家になりたいと思うようになっていったんです。先生も「あなたを音大に行かせる」と背中を押してくださり、そのつもりで、高校から音楽に力を入れている学校に進もうと考えていました。

ところが、父に大反対されたんです。父は新聞記者をしていましたが、とにかく現実的といいますか、頭が固い人でした。「音楽なんかやったって、お金がかかるばかりで、将来食べていけるわけでもない。絶対にダメだ」と認めてもらえず、結局、地元の普通の高校に進学するしかありませんでした。

それからの私は、夢が絶たれて、抜け殻のような状態になってしまいました。ちょうど反抗期も重なったんだと思います。たまたま昔の友人に不良の子がいたのがきっかけで、あっという間に仲間入り。グレてしまったんです。

ケント　えっ、グレた⁉　どうなっちゃったんですか、金髪ですか？

白坂　はい。金髪にタバコ、長〜いスカートと、不良の王道を行きました（笑）。ただ、当時の不良の間ではシンナーが流行っていましたが、私はあの臭いが苦手で、代わりにお酒を飲んでいました。未成年のくせに、あの頃からもうお酒の素質があったんですね。学校をサボって、不良のたまり場で朝からお酒。もう自分の未来には希望がないと思い込んでいたので、すっかり投げやりになってしまいました。

そんな生活が二年ほど続いたある日、母が突然私の部屋に入ってきました。そして一升瓶をポンと置いて「お母さんと飲もう」と言ったんです。母と娘が二人でコップ酒です。

ケント　お母さんは、そうやって娘と向き合おうとしたんですね。

白坂　そうだと思います。一升瓶が空になる頃、酔った私に母は真剣に詰め寄りました。「あなたは将来どうするの？　どうしたいの？」と。私は泣きながら「お母さん、私、もっと勉強して東京の大学へ行きたい」と言いました。

ケント　それは本音だったんですか？

白坂　大学へ行きたいというより、家を出たかったのだと思います。二年間もそんな状態でしたから、近所の人からは白い目で見られるし、父の支配下にいるのも重荷でした。それに、さすがに、このままじゃいけないという焦りもありました。遠いところへ行って、心機一転、やり直したかったんですね。

それを聞いて、母は「わかった。東京へ行きなさい」と。「お父さんは私が説得するから、あなたは死ぬ気で勉強しなさい」と言ってくれたんです。それでも父はなかなか納得しませんでした。最終的には「早稲田の文学部なら行かせてやる」と認めてくれたのですが、それだって、どうせ受かりっこないと高をくくっていたからです。当時、早稲田の文学部はかなり難関でしたから。

ケント　じゃあ、意地でも頑張るしかない。

白坂　はい。あとにも先にもあんなに勉強したことはなかったです。あそこまで頑張れたのは、ある意味、父のおかげです。ただ、当時は九州の山の町から東京の大学へ進学する女子はあまりいなかったんです。晴れて合格したのに、父は前言を翻してまた反対しました。「東京へなんか行ったら、ろくな女にならない」と。一度は不良娘になった娘を、父も簡単には信用できなかったんだと思います。

ケント　お父さんはけっこう保守的なんですね。

白坂　九州は封建的なところが残っている地域なんです。あえて「九州男児」と呼ばれるほど、九州の男性は頑固で気むずかしいというのが定説です。わが家はその典型で、父が亭主関白でしたから、母は滅多なことでは父に反論しませんでした。

ですが、この進学騒ぎのときだけは、母が珍しく強い口調で父に談判してくれました。「私があの子を東京に行かせます。お金も私が出します」と。母は、算盤塾を手広く経営する働く女性だったんです。女性が自分の意見を通すためには経済力も大切なんだなと、そのとき、身にしみて学びました。

ケント　お母さんも、娘の将来を考えて、相当な覚悟だったのでしょう。

白坂　はい。ただ、父は父で思うところがあったようです。上京する日の朝早く、一人で家を出て駅に行き、始発電車を待っていたら、父が突然ホームに現れました。「元気で頑張れよ」。言葉少なでしたが、そう言って見送ってくれた父の姿は今でも忘れられません。あんな憎まれ口をきいたのも、父なりに私を心配し、手元に置いておきたいという愛情からだったのだと思います。

ケント　そうでしたか。いいお話ですね。

銀座のママは、働く女性の先がけ

ケント　大学時代はアルバイトでホステスをしたというお話でしたが、普通に就職するつもりはなかったんですか？

白坂　いえ、それがあったんです。何やかやいっても、新聞記者だった父に影響されていたところもあったと思います。一応マスコミ志望で、いろいろな出版社や新聞社をリサーチしていました。

ところが、ＯＧ訪問で憧れの会社に就職した先輩たちに話を聞くと、何かが違う……。男女雇用機会均等法が施行されたばかりで、男性並みに働けるようになったのはいいのですが、みなさんどこかトガっていて、中身まで完全に〝男性〟に見えたんです。

イメージとは違うかもしれませんが、実は私は昔から、バリバリ働くだけじゃなく、絶対に結婚して子どもも産むと決めていたんです。けれど、そんな話を先輩たちにすると、「ムリムリ。万が一結婚できたとしても、忙しくて子育てなんかする余裕はないわよ」と笑い飛ばされてしまいました。

実際、お会いした先輩はみなさん独身で、プライベートもすべて仕事に捧げているような印象でした。当時はマスコミの第一線で働く女性は少なく、男性の何倍も努力しないと評価されなかったのだと思います。結局、マスコミの世界では、私が将来のキャリアのお手本にしたいようなロールモデルを見つけることはできませんでした。

一方で、私が雇われママとして働いていた日本橋のクラブでは、経営者でもあるママが店を切り盛りしながら子育てもしていました。そんな姿を見て、ハッと気づかされたんですね。「そうか。私もオーナーママになれば、結婚も子どももあきらめなくていいんだわ」と。銀座に店を持とうと決心したのは、そのときです。

夜の銀座は、真の実力主義の世界です。もしかすると企業に就職するより苦難の道かもしれません。それでも、女性が女性であることを捨てずに活躍できるという意味では、私にはやりがいがあって魅力的なビジネスに思えたのです。

九州の女性は強い!?

ケント　水商売をすることに、ご両親は反対しなかったんですか？

白坂　学生時代アルバイトでママをやっていた頃は、親に隠していたんです。でも、いよいよママ業を一生の職業にしようと決めたときには、さすがにもう隠し続けるわけにはいかないと思いました。母からも、「就職はどうなったの？」としょっちゅう電話がかかってきていましたし。

それで、ある日、思い切って母に伝えたんです。「実は、お母さん。私は今クラブのママをやっていて、将来はこの道で生きていこうと思います」と。母は、クラブがどういうところかも知りませんし、いかがわしい風俗だとでも思ったのでしょう。もうびっくり仰天で、「なんていう名前のお

店？」と聞いてきたと思ったら、翌日、大分から日本橋のお店にすっ飛んできたんです。

ケント　それは叱られたでしょう。

白坂　店のオーナーに向かって「うちの娘は水商売をするために大学まで行かせたわけじゃありません。すぐに辞めさせてください！」と、それはもう、ものすごい剣幕でした。スタッフも「どうしよう、どうしよう」とオロオロするばかりでたいへんでした。

そこへいらっしゃったのが、のちにユニチカの社長になられた勝匡昭《かつまさあき》さんでした。勝さんは日本橋時代のお得意さまで、いつもたいへんお世話になっていた方でした。その勝さんが、怒り狂う母に名刺を差し出し、にこやかな笑顔で挨拶してくださったんです。そして、「この店は、私のようなビジネスマンにとって憩いの場であり、契約につながる大切なお客さまを接待する場でもあります。お嬢さんには、いつもそのお手伝いをしていただいています。ご心配するようなことはありませんから、どうか安心してください」とおっしゃってくださったんです。

その誠実な話しぶりとお人柄に、母も心打たれたようです。しかも、母はバレーボールのファンだったんです。ユニチカといえば、当時、バレーボールのたいへんな強豪チームでした。企業の名前に疎い母も、さすがにユニチカだけはよく知っていたんですね。あんな立派な会社の役員の方が、ここまで言ってくださるなら間違いないと、コロッと態度を変えてくれました。それからは「やるからには頑張りなさい」と応援してくれるようになったんです。

ケント　お父さんは？

白坂　父はもう何も言いませんでしたね。「娘のやることに、いちいち反対するな」と母から釘を刺されていたのだと思います。

ケント　それにしても、お母さんはすごい行動力ですね。

白坂　そうなんです。リーマン・ショックで貸し剝がしにあったときも、私は隠していたんですが、娘の顔色を見て「何かある」と気づいたんでしょうね。女のカンはすごいです。母のほうから「どうしたの？」と聞くので、事情を話しました。すると、その日のうちに大分へ帰って、一週間後、なんと千五百万円ものお金を用意してくれたんです。親戚中に頭を下げて、借り回ってくれたようです。そのお金で、いちばん取り立てが厳しかった銀行からの借金を返すことができました。

私は「丙午《ひのえうま》」の女

ケント　白坂さんは、なぜそんなに結婚したかったんですか？

白坂　それには深いわけがあります。私、一九六六（昭和四十一）年の「丙午」の生まれなんです。と言っても、おわかりになりませんよね。

ケント　「丙午」？　干支ですよね。

白坂　はい。日本の古くからの言い伝えでは、この「丙午」の年に生まれた女性は、気性が激しく、男を食い殺すとされていました。たとえば、歌舞伎や浄瑠璃の演目としても有名な「八百屋お七」は、恋人に会いたい一心で放火事件を起こして処刑されるという江戸時代のお話ですが、そのお七も「丙午」の生まれだったそうです。そんなわけで、昔から「丙午」の女といえば、炎のように激しく、何をしでかすかわからない女として忌み嫌われました。もちろん迷信ですよ。

干支は全部で六十種類ありますので、「丙午」が巡ってくるのは六十年に一度しかありません。その六十年に一度の不吉な年に、私は生まれてしまったんです（笑）。ですから、もう、小さい頃からいじめられましたよ。「やーい。おまえなんか、嫁のもらい手がないぞ」とか言って。

ケント　昭和の時代なのに、みんな信じていたんですか？

白坂　そうなんですよ。「丙午」の年に女の子が生まれたら縁起が悪いからと、みんな産み控えしたほどで、私が生まれた一九六六年は、極端に出生率が低いんです。全国でも、私と同じ学年だけが、他と比べて一、二クラス少ないくらいでした。

ケント　へえ、面白いと言っては怒られますが、そんなことがあったんですね。

白坂　迷信とはいえ、実際、私は本当に気が強かったんです。勉強でもスポーツでも、とにかく負けず嫌い。ですから、よけいに「お嫁に行けない」とからかわれました。それがすごく悔しくて、「いいわ、絶対結婚してみせるから」と心に誓ったわけです。

ケント　それはなかなか根深い理由だなぁ（笑）。六十年に一度ということは、次の「丙午」は、二〇二六年ですね。近づいてきたら、またニュースなどで騒ぎになるんでしょうか。

白坂　さあ、どうでしょう。最近の子は「丙午」なんていう言葉すら知らないようですよ。でも、知らないほうが幸せです。

人生設計通りに結婚

ケント　では、かなり真剣に婚活したんですか？

白坂　それはもう（笑）。念願叶って銀座にお店を持ったのが二十九歳のときで、それからすぐに、信頼するお客さまに、結婚相手を探していることをお話ししました。

なかでも、私がいちばん頼りにしたのは、N産業にお勤めのお客さまでした。当時うちのお店には商社のお客さまが多かったのですが、N産業は、財閥系の有名商社ではないものの、化学系を専門とする堅実な会社でした。うちにいらっしゃっていた方もみなさん真面目な研究者タイプで、出世争いにも興味がなさそうな方ばかり。この会社の社員なら、結婚相手として理想的だと思いました。それで、N産業のお客さまに、ストレートにお願いしたんです。「御社に、どなたかいい方いらっしゃいませんか。いたらぜひご紹介ください」と。

ケント　まず会社で決めたんですね。

白坂　そうなんです。すると三人のお客さまが、部下のなかから同じ人を指名して紹介してくださいました。それが今の主人です。

ケント　三人の上司のお墨付きなら、間違いない。

白坂　あとで聞いたところでは、若い社員は海外赴任に行くので、二十五、二十六歳でほとんど結婚してしまうんだそうです。三十歳くらいになって残っていたのは、うちの主人だけだったらしいです（笑）。

ケント　すぐにお付き合いが始まったんですか？

白坂　「彼女いるんですか？」と聞きましたら、「いるけど、半年会ってない」となんだかハッキリしないんです。ですから私、「それは彼女とは呼べないんじゃないですか」と言いました。それで「私とドライブに行きませんか？」と誘ったんです。

ケント　ずいぶん積極的にグイグイ押しましたね。

白坂　はい。「丙午」ですから（笑）。ただ、そこからなんとなくお付き合いが始まったんですが、一年たってもプロポーズしてくれないんです。そこで私は、また迫りました。「たいへん申し訳ないんですけれど、私には人生設計があって、○歳までに子どもを二人か三人産んで……」などと滔々《とうとう》と説明し、「というわけで、もし結婚する気がないのであれば、お別れさせていただいていいですか？」と。そうしたら、焦って「する、する」と言ってくれたんです（笑）。

ケント　いやあ、相手は銀座の高級クラブのママですよ。そもそも住む世界が違うし、彼のほうには、迷いもあったんじゃないですか。

白坂　あったと思いますが、私の勢いに押し切られたんですね。ただ、私のほうも、結婚するからには自分の都合ばかりを押しつけるつもりはなく、できる限り彼に合わせる覚悟でした。当時、経営する店はまだ二店舗でした。彼に海外赴任の辞令が下りたら、その店を一店舗にして人に任せ、転勤先についていこうと決めていたんです。

結局一度も海外赴任の話はなく、環境を変えずに済んだのはラッキーでした。でも、ラッキーだなんてのんきなことを言っていたのは私だけでした。あとで知ったのですが、実は、主人のほうが、私の仕事のことを考えて、「海外赴任を希望しない」という嘆願を会社に出してくれていたんです。それを認めてくれた会社の寛大さにも感謝しなければなりません。

結婚十七年目で大阪転勤が決まったときには、主人は、私や娘と離れるのが辛いと、ひどい落ち込みようでした。国内の、しかもたった一年間の赴任だったのに（笑）。そのくらい家族のことを考えてくれる人です。

ケント　いいご主人ですね。

白坂　本当に。ちょっとした家事から、二人の娘の習い事の送り迎えまで、家のことは何でもやってくれました。土日など、私はお客さまとのお付き合いでたいていゴルフですが、家に帰ってくるとちゃんと夕飯ができているんです。三十種類くらいのレパートリーがあって、それがローテーションで出てくるんですね。今は相当な腕前です。「すごい！」「美味しい！」と盛大に褒めています（笑）。

ケント　白坂さんの仕事に文句を言うこともない？

白坂　「たいへんだね」と同情してくれます。

ケント　こんな素晴らしい奥さんがいて、他の男性たちにうらやましがられているのではないですか？

白坂　世間的なイメージからでしょうが、「お金があっていいね」と言われたことはあるらしいです。でも、前にお話ししたように、実際はまったくそうではありませんでした。銀行の貸し剝がしにあったときは、私自身の貯金はもちろん、主人の貯金や生命保険までこっそり崩して返済に充てましたし、結婚してすぐに主人の名義で買ったマンションも内緒で抵当に入れたくらいです。主人は、知っていて知らん顔してくれていたようです。やっと返済が終わって報告したら、「じゃあこのマンションも僕のものに戻ったんだね」と言っていましたから。

女性の結婚は早いほうがいい？

白坂　ケントさんは、何歳でご結婚されたんですか？

ケント　大学院の二年生のときですから、二十五歳でした。女房は中学のときの同級生で同い年。高校の国語の教師をしていました。当時のアメリカで、二十五歳というのは、女性の結婚年齢としてそう早いわけではありませんでした。根も葉もないジンクスですが、「二十五歳を過ぎた女性は結婚できない」などと言う人もいて、だいたいそのくらいが女性の結婚適齢期と考えられていたんですね。

白坂　日本も、ひと昔前まではそうでした。「二十五歳を過ぎたら、クリスマスケーキと同じで売れ残り」なんて。ひどいですよね。

ケント　ただ、たまたまだと思いますが、僕の高校の同級生では、三十歳の時点で独身だった女性は、ほぼ全員そのまま結婚せずに働いています。しかも、今や裁判官とか経営者などのエグゼクティブです。いつまでも結婚を待つだけではなく、自分のキャリアをきちんと積んできました。結婚のチャンスがいつ回ってくるかわからないので、賢明な選択だったと思います。

白坂　日本の場合、女性が結婚せずに頑張っても、アメリカのようにトップクラスまでは出世できないのが現状です。そこが歯がゆいところなんです。

ケント　そうですね。だから僕は、結婚するかしないかは自由ですが、するなら早いほうがいいんじゃないかと思うんです。

白坂　特に私のように子どもを産みたいと思った場合は、どうしても年齢的な制限があります。早いうちに結婚、子育てを済ませて、その後自由に仕事なりやりたいことに取り組んでいくのがいいのかもしれません。

それにあまり遅いと、お相手も限られてしまうんです。私は、結婚のお世話もよくさせていただくんですが、三十五歳くらいになって「いい人いませんか？」と相談されると、なかなか見合う方がいない。男性は、贅沢にも、ご自分は四十歳過ぎているのに、結婚相手は三十五歳以下がいいなどとおっしゃいますから（笑）。

国を滅ぼしかねない少子化問題

ケント　結婚したくても相手がいないというのは、深刻ですね。たとえばアメリカでは、今、大卒者の人数が男性より女性のほうがかなり上回っています。すると、一般的には大卒女性は、結婚相手には自分と同じ程度かそれ以上の学歴を求めますから、結果的に、結婚できない人が増えてしまう。それが社会問題になっているほどです。

白坂　日本もそうです。早稲田など、女子大になった

のかしらと思うくらい女子学生ばかり。これも少子化の要因の一つですね。

ケント　人口減少はダイレクトに国力に響きます。今後日本が衰退しないためには、「子どもをたくさん産む」「移民を入れる」、この二つしか道がありません。それなのに、家の近くに保育園が建設されるとなると、反対の声が上がる世の中です。これではますます待機児童の問題が深刻化して、子どもを産みたくても産めない環境になってしまいます。

白坂　反対理由は、子どもの声が騒がしいから、らしいですね。

ケント　昔住んでいた家の近くにも保育園がありましたが、確かにうるさいです（笑）。朝から「おはようございまーす！」とフルボリュームなんです。元気なのはいいけれど、もう少し普通のトーンで話してくれると助かりますね。

ただ、その程度のことで目くじらを立てるのは、どうかと思います。僕のアメリカの家のすぐ近くには、少年更生施設ができました。問題児が集まってくるわけですから、危険だと思う人もいるかもしれませんが、うちのご近所の住民は誰も反対しませんでした。みんな、子どものための施設には寛容なんです。人の出入りが激しいショッピングセンターができるよりずっといいと思っているようです。

白坂　アメリカの出生率はどうなんですか？

ケント　全体的には下がっているようですが、僕の地元のユタ州は子だくさんの家が多いんです。僕も六人兄弟の長男ですから、わが家は少子化とは無縁でした。母は十九歳で結婚して、二十歳で僕を産みました。その後妹二人、弟二人が生まれて五人。これで最後かなと思ったら、四十五歳でいちばん下の妹を産んだんです。

白坂　それは賑やかですね。

ケント　はい。それはいいんですけれど、ちょうど僕が結婚した年に、母はいちばん下の妹を妊娠したんですね。僕の結婚式では、お腹を隠すために韓国のチマチョゴリのようなフワッとしたドレスを着ていましたが、それが全然隠れていなかった（笑）。花嫁が妊娠しているのはよく聞きますが、花婿のお母さんですから。ちょっと恥ずかしかったですよ。そして、同じ年に僕の長男と、その妹も生まれたんです。

白坂　ケントさんのご長男から見たら、おばさんと甥の自分が同じ年ということですね。

ケント　母がよく言っていました。学校のＰＴＡに行って「おばあちゃんですか？」と言われるのがいちばん嫌だったと。

白坂　それ、わかります。日本でも最近は高齢出産が増えましたから、声をかけるときには気をつけています。「おばあさんかな」と思っても、「ママ」と言っておかないと。

ケント　そのいちばん下の妹も二十二歳で結婚して、さっさと四人の子どもを産みました。上の子が、最近高校を卒業したばかりです。

白坂　ケントさんのところは？

ケント　うちは、男ばかり三人兄弟です。今、長男はカリフォルニアで弁護士をやっていて、次男は東京に住んでいて国際弁護士です。三男はアラスカのアンカレッジでコンピュータシステムの開発をしています。それぞれ結婚して子どもがいますから、僕には合計十一人の孫がいるんですよ。

母は、元祖「働く女性」

ケント　一九八〇（昭和五十五）年に東京の法律事務所に就職して日本に来ましたが、そのときは二歳になったばかりの長男と、生後五か月の次男と一緒でした。女房は専業主婦でしたが、慣れない海外で子育てをするのはたいへんだったと思います。

お休みの日など、よく僕も一緒にスーパーへ買い出しに行きましたが、それぞれの両手に二人の子どもと買い物袋。雨でも降ろうものなら、どうやって傘をさそうかという状態でした。大人二人でもこれですから、一人で家事や育児をこなす女性は尊敬に値します。その上に仕事を持っている女性も多いでしょう。白坂さんもそうですが、よく両立できましたね。

白坂　私の場合は、やはり主人の協力があってこそです。彼のおかげで二人の娘が育ちました。特に水商売は、夜、家を空けますので、家族の協力がないとなかなかむずかしいんですね。この世界で結婚する女性が少ないのもうなずけます。

ケント　それでも両立を目指したのはなぜですか？

白坂　母の姿を見てきたからだと思います。先ほどもお話ししたように、うちの母は地元で算盤塾を経営していました。当時は子どもの習い事として算盤がたいへんなブームで、母も十軒ほど塾を開いて飛び回っていたんです。多分、父より収入は上だったんじゃないでしょうか。それでも母は、父を絶対に台所に入れないくらい、家事も一人で頑張っていました。

もっとも、九州の女性はそれが普通でした。同級生のお母さんもほぼ全員が働く女性。東京に来て、専業主婦を初めて見たくらいです。ですから、お互い子どもを預かり合って、地域全体で子育てしていた感じです。で、お父さんは何もしないで威張っている（笑）。

家事も育児も男女平等に

ケント　白坂さんのご実家は、まだ封建的なところが残っているというお話でしたが、他の地方はどうなんでしょうね？　戦前の日本の家族制度は家父長制で、家長である父親がいちばん威張っていて、次に長男。その長男が財産をすべて相続するのが決まりだったでしょう？

白坂　財産は兄弟等分に相続しますが、家を継ぐのはやはり長男というお宅が多いんじゃないでしょうか。ただ、昔ながらの大家族は、都市部ではもうあまり見かけませんね。

ケント　戦後、日本の家族制度を解体したのは、やはりＧＨＱによる占領政策の一つでした。要は日本と日本人の弱体化を目論んだわけです。しかし、古い制度が崩壊して良かった点もありますね。

白坂　社会のなかには男尊女卑の価値観は今も残っていますが、それでも家庭内では多少は薄れてきたかもしれません。うちの主人のように家事を手伝ってくれる男性も増えました。もっと若い世代だとさらに意識が変わり、家事は男女平等にやるのが当たり前だと考える人も増えています。ただ、父親の権威は失墜しかけています。

ケント　お父さんだけがのけ者にされてしまう（笑）。

白坂　そうなんです。わが家の場合、主人がいたから家庭がうまく回っていたようなものですから、主人にはいつも感謝の言葉を伝えていましたし、娘たちにも主人の悪口は絶対に言いませんでした。「パパは偉いのよ。パパは一生懸命あなたたちを育ててくれたのよ」と。ただ、どれだけ私が主人を持ち上げても、女の子の場合、年頃になると父親のことを「ウザい」とか「キモい」などと言って毛嫌いする時期があるんですね。ハラハラしましたが、うちの主人は何を言われても「かわいいね。いい子だね」なんてニコニコしながら娘たちの頭を撫でていましたから、そこはすごい！と思いました。

ケント　ご主人のように育児に参加する男性も増えましたね。父親が幼稚園の送迎をやっている姿をよく見ます。

白坂　子育てする男性を表す「イクメン」という言葉もありますしね。聞くところでは、日本は、男性の育休制度も世界一だそうです。ただ、制度は世界一でも使う人がいない（笑）。制度を使って職場に復帰したら、左遷されることもあると言いますから、ただのお飾りです。女性の場合でさえ、閑職に回されるケースがけっこうあるらしいです。

知人の編集者はそれが嫌で、育休は取らなかったと言っていました。なんとしても編集の仕事を続けたいから、出産ギリギリまで「太った」と誤魔化して働き、産む間際に一か月だけ病欠して復帰したそうです。そんな涙ぐましい努力をしなければいけないのですから、まだまだ古い価値観は打ち破られていません。

ケント　それはたいへんだ。あと、日本では、子どもがある程度の年齢になったら、どんどんお母さんの手伝いをさせるべきだと思います。アメリカの子どもが多い家庭では、当番表をつくって家事を子どもたちに分担させていました。子どもたちに、家に対する責任感を覚えさせるためだそうです。

ただ、僕が見た限りでは、当番表のせいで、「やった、やらない」「当番だけど、交代して」などと、兄弟間の言い合いになることもあるようです。親がそれをなだめなければなりませんから、かえって面倒臭いこともあります。

僕も六人兄弟でしたが、うちの母は当番表を利用しませんでした。その代わり、「私はこの家の管理責任者です。手伝いが必要なときは、そのつど家族の誰かにお願いしますから、必ず応じてもらいます」ときっぱり宣言されました。面白いもので、そう言われると、子どもは母親に忖度して、お願いされる前に自発的に手伝うようになるんですね。なるほど、これが母親が楽になる方法かと感心して、僕も女房も、うちの三人の息子にはこの方式で家事を仕込みました。家事は人間生活の基本ですから、子どもの頃から慣れさせておくべきです。

男性社会を賢くしなやかに生きる

ケント　話題を戻しますが、これまでのお話では、お母さんは捨て身でグレた娘を立ち直らせ、困ったときにはお金もバーンとつくってくれた。ずいぶんエネルギッシュで豪快な方ですね。

白坂　そんな母でも、父に対しては従順でした。やはり、母の世代には「女性は一歩下がって、男性につき従う」という日本の古い価値観がまだ残っているのだと思います。よく覚えているのは、私が学級委員長になったときのことです。家に帰って喜々として母に報告したら、思いがけず、すごく叱られたんです。「女は副委員長になるものよ」って。女性は男性の上に立ってはいけないんだと、頭をガーンと殴られたようなショックでした。

ケント　世界経済フォーラムが公表している「世界男女格差指数」では、日本はG7の国々のなかで最下位という結果が出ています。先ほど、若い世代は家事も協力し合うというお話がありましたが、男尊女卑的な考え方は、全体的に見ると今も根強く生きているんですね。しばらく前までは、「日本人女性は優しくて従順で、うるさいことは言わないし浮気も許してくれる」などと差別的な発言をする外国人男性もいました。今でもそのつもりで日本人の女性と付き合う外国人もいるかもしれません。もちろん、そういう輩は不良外国人ですから相手にしなくていいですが。

ただ、僕が言いたいのは、日本人女性は頭がいいから、男性が思っているほど弱くて言いなりになるわけじゃないよということです。男性より一歩下がるのは、言ってみれば戦略みたいなもので、そう見せかけておいて、逆に男性を自由に手のひらの上で転がしてしまう（笑）。そんなところはありませんか？

白坂 まさにおっしゃる通りです。うちの母も含めて九州の女性はたいていそうで、夫を立てつつ、縁の下で実権を握っていました（笑）。

ケント 白坂さんご自身はいかがですか？ 負けず嫌いだったとおっしゃっていましたから、男性を立てるのはむずかしかったのではないですか？

白坂 実はそうなんです。あまり出しゃばると、母にこっぴどく叱られましたから、表面的には大人しくしていようとは思うんです。でも、心の奥底でマグマがメラメラと燃え盛っているんですね（笑）。そのせいで、子どもの頃はずいぶん苦しい思いもしました。

ただ、いつもメラメラでは、やはり生きにくいんです。それもあって子ども時代から、ストレートに言いたいところをグッと抑えるなど、かなり訓練しました。そのおかげでホステスが務まったのだと思います。

また、ホステスになってからも、そのつど痛い思いをしながら学んできました。二十九歳で最初の店を持ち、三か月後に、二軒目となるこのクラブ「稲葉」をオープンさせたときのことです。それまでご贔屓《ひいき》にしてくださったお客さまから、突然「生意気だ。きみのことはもう応援できない」と言われました。一軒だけなら、女の細腕で頑張る健気なママとして認めることができても、二軒も経営するとなると、それはもうビジネスの領域です。暗に「女のくせに男の土俵に立つとは何事だ！」と釘を刺された気がしました。

ケント　それは男の嫉妬でしょう。大人げないですね。

白坂　そのお客さまが悪いというより、それが男性社会なんだと思い知らされました。やがて、少しずつ時代は変わるでしょう。でも、長い時間をかけてつくられた社会の暗黙のルールを、いっぺんに崩すことはむずかしい。だったら、そのなかで臨機応変に、しなやかに生きていくのが女性にできることではないかと思います。

ケント　なでしこの花は、一見控え目ですが、芯は強いんですね。

白坂　そうなんです。私も「銀座なでしこ会」をつくったとき、なでしこの花言葉を調べて驚きました。「純愛、貞節、女性の美」だけでなく、「才能、大胆、野心、勇敢」という意味も込められていたんですね。まさに女性らしさを持ちつつ、強くたくましく大胆に。これからは、そんな日本女性が増えるといいなと思います。

成功するのは、相手を立てる人

白坂　男性を立てるのは、女性が男性社会を生き抜くための処方術の一つかもしれません。でも、それだけじゃありません。相手が男性であれ女性であれ、周りの人を立てるのは人としての思いやりだと思うんです。今の若いホステスのなかには、何を勘違いしたのか、お客さまにタメ口をきいたり、上から目線でものを言う子が時々いますが、それでは誰からも嫌われます。

ケント　一般の企業でも、ただ仕事ができるだけではダメ。周囲に気配りできる人でなければ使えませんからね。

白坂　銀座もまったく同じです。私たちは出勤前に必ず美容院へ行き、髪をセットしたり着物を着付けたりするのですが、そこはホステス御用達《ごようたし》ですから、同業者がズラーッと並んでいるんですね。そこで観察していると、よくわかるんです。いくら美人でも、スタッフを呼びつけて怒鳴り散らしたり、順番待ちで人を押しのけるようなタイプは、たいてい売れない子（笑）。

逆にナンバーワンを張るような売れっ子は、本当に腰が低くて人柄もいいんです。店でもヘルプの若い子に「ありがとう」と感謝を忘れないし、その子の成績になるように、同伴のお客さまを譲ってあげることもあります。また黒服のボーイさんにチップを渡すなどの気配りもちゃんとしています。だから周囲に好かれ、「彼女のためなら何かしたい」と協力してもらえるんですね。それがなければ、とても月に二千万円も売り上げるようなことはできません。

ケント　月、二千万ですか。

白坂　はい。銀座の本当のナンバーワンは、それくらい稼ぎ出すんです。そうしたホステスになると、一日に二十組くらいのお客さまがいらっしゃいますから、普段からホステス同士のいいチームワークをつくっておかないと、とても回していけません。

ケント　聖書のなかには、「受けるより、与えるほうが幸いである」という言葉があります。日本の「陰徳《いんとく》」ではありませんが、人に親切にしたり手柄やチャンスを与えることで、いつか回り回って必ず何かいいことが返ってくる。自分のことばかり主張するのではなく、いかに相手を引き立ててあげられるかを考えることが、これからの時代の成功のカギかもしれません。

白坂　そうですね。男性はつい闘いモードになってしまい、「みんなで一緒に頑張ろう」は苦手かもしれません。でも女性には、相手を立てつつ人と人をつなげる調和力があると思うんです。そんな女性ならではの力をうまく発揮できれば、私たち女性の活躍の場ももっと広がるのではないでしょうか。

常に「自分軸」を失わない

ケント　夜の世界と、家庭の主婦という昼の世界。白坂さんは、その二つの世界を生きていらっしゃるわけですが、その両立はむずかしくないですか？

白坂　たとえば服装一つとっても全然違いますので、そこは意識してきました。今はこのような着物を着ていますが、このままPTAなどに顔を出したら、子どもも嫌がりますし、お母さん同士の輪も乱してしまいます。

ただ、娘も成長すると、だんだん理解してくれるようになるんですね。あるとき、どうしても着替える時間がなくて、着物のままで娘の学校へ行かなければならなくなったことがありました。「今日、ママ、着物着て学校に行ってもいい？」と聞くと、「う〜ん」とちょっと考えてから「まぁ、いいよ」とOKしてくれました。そして、そんなときは事前に先生に「うちのママが着物で来る」と言っておいてくれるらしいんです。そうしないと、学校の裏門に行っただけで、守衛さんが何事かと目をむきますから（笑）。

ケント　艶《あで》やかな着物姿は、やっぱり目立ちますからね。

白坂　異次元です（笑）。自宅がある街ではこんな格好した人は誰もいません。一度着物のままで帰宅したら、近所の八百屋さんのおじさんに言われました。「あれぇ、中山さん（本名）だよね？　どうしたの？　銀座のママみたいな格好しちゃって」と（笑）。

ケント　へぇ。家では本当に普通のお母さんなんですね。

白坂　夜の銀座の世界だけにいると、その「普通」がわからなくなってしまうことがあります。アルバイトでホステスをしていた学生時代は、同級生の仲間と飲みに行くと、「その注文の仕方、普通じゃないから」などと、よく注意されました。そのおかげで、ハッと我に返って、自分のなかのバランスを取り戻すことができました。

今も大学時代の仲間とは親しくしていますし、大分の県人会に参加するなど、外の世界の方々との交流も大切にしています。両方の世界を生きるのが自分で、どちらか一つに偏ってしまうと、自分らしくいられないような気がするんです。

ケント　僕も芸能界の仕事を何年かやりましたが、やはり金銭感覚などが普通とはちょっと違うんですね。自分の軸がしっかりしていないと、振り回されてしまいます。

白坂　本当にそうですね。私が今もバイブルのように大切にしているものに、半村良さんの『八十八夜物語』という小説があります。普通のOLがこの世界に飛び込み、銀座の雇われママから、最後は有名なオーナーママに昇り詰めるというサクセスストーリーで、私自身とどこか重なるところもあって、ボロボロになるまで何度も読みました。

そのなかに、主人公が、この世界に入るかどうかを下宿のおばあちゃんに相談する場面があるんですが、そこがずっと心に残っています。そのおばあちゃんは、昔花街にいた人で、主人公にいろいろなことを教えてくれるんですね。たとえば「夜の女だからといって、昼間まで寝ていてはいけません。お客さまは朝から働いているのだから、あなたも起きていろいろなところへ出かけ、外の世界を見聞きしなさい」などと。そのおばあちゃんの教えが、私自身の生き方の羅針盤になりました。今も、何かあるとペラペラとページをめくって、気持ちを新たにしています。

ケント　自分を原点に引き戻してくれるような、そんな一冊があるといいですね。

白坂　『八十八夜物語』は、私にとってまさにそんな本です。店の女の子たちにもぜひ読んでほしくてプレゼントしたこともありました。でも、誰も、何の感想もくれないんですよ（笑）。時代が違うんでしょうかね。

社会にかかわることで豊かな人生が始まる

ケント　前に「銀座村」という言葉が出ましたが、これまでお話ししてみて、白坂さんはぜひその「銀座村」の村長になるべきだと思いました。女王蜂のようにそこにいるだけで、働き蜂たちが集まってくる。みんなで何か行動を起こそうとするときは、そんな影響力のある存在が一人いると、やる気も上がるし全体がまとまるんです。

白坂　ありがとうございます。実は、たいへん光栄なことに、同じことを言っていただいたことがありました。それがきっかけでお手伝いするようになったのが、「銀座ミツバチプロジェクト」というボランティア活動です。
　最初は、銀座のビルの屋上で、おじさまたちが無邪気に楽しく養蜂をやってます！という感じのスタートだったそうです。中心となって始めたのは、紙パルプ会館の取締役の田中淳夫《たなかあつお》さんという方なのですが、その田中さんが、あるときやってきておっしゃったんです。「ママ、女王蜂になってください」と。最初は、「私は夜の蝶ですから、嫌です」などと冗談めかしてお断りしていたんですけれど、内心、なんだか「面白そう」と好奇心がうずきました。実際、始めてみるとミツバチは本当に面白いんです。
ケント　銀座のど真ん中で養蜂なんて意外でしたが、考えてみれば、銀座なら皇居も近いし、蜜が採れる花も豊富ですよね。
白坂　そうなんです。皇居付近のユリノキ、霞が関のトチノキ、銀座マロニエ通りのマロニエ……と、それまで気づきませんでしたが、花の咲く木がたくさんあります。最近はミツバチの減少が問題になっているのですが、その理由の一つが農薬なんだそうです。でも、皇居やこうした都心の街路樹には農薬は一切使われていません。その意味では東京のほうがミツバチには優しい環境なんですね。

ケント　へえ、面白いですね。

白坂　そんなことを勉強させていただくうちに、環境問題にも興味が湧いてきました。それから銀座の料理人やバーテンダーの方々も巻き込んで、採れたハチミツを商品化しているんです。それに取り組むうちに、今度は食の安全性の問題も気になるようになりました。また、こうしてできた銀座ブランドのハチミツが、街の活性化につながることにもなり、活動そのものも、私自身の世界もどんどん広がっていったんです。

ケント　経営者としての仕事とはまた別に、新しいやりがいを見つけられたのですね。

白坂　はい。それまでも毎日店でたくさんの方々と出会ってきたつもりでしたが、やはりそれはごく一部の限定された層の方々でした。でも、活動に参加してからは、それこそいろいろなバックグラウンドを持つ方々とお話しさせていただいて、「ああ、まだまだ勉強不足だった」「私にも、もっとやれることがあるのでは」などと反省したり、ワクワクしたりの繰り返し。それまでとは、考え方も生き方もガラリと変わりました。

「稲葉」をオープンしたばかりの頃、ヤマト運輸の元・社長さんの小倉昌男《おぐらまさお》さんがよくお見えになりました。その小倉さんが、私にこうおっしゃってくださったことがあります。「夢だけではだめだ。志を持て。夢は自分だけのものだが、志は世のため人のために何ができるかを考えることだ。使命感を持って生きなさい」と。その言葉を思い出します。

銀座のママという仕事は素晴らしい仕事です。でも、その枠を超えてもっと社会に貢献できることがあるんじゃないか。最近はそんなふうに考えるようになりました。それが本当の豊かな人生というもので、私自身も幸せになれる道なのかもしれません。

ケント　いいですね。まったく同じ意見です。僕も、仕事とは別にキリスト教徒（末日聖徒イエス・キリスト教会）としての使命も持っています。教会の活動の一環で、さまざまなボランティアにも参加していますし、福祉のための寄付もしています。

僕の父も熱心にボランティア活動をする人でしたが、その父がよく言っていたんですよ。「今はよくても、私たちだって何かの不幸に見舞われ、人の助けが必要になることもあるだろう。だから元気なうちに、やれるだけのことはやろう」と。その言葉が、僕のボランティア活動に対する思いの原点になっています。

自分さえ良ければいいという考えで私利私欲に走っても、結局、誰からも信頼されずに、人生は虚しいだけになってしまいます。やはり社会とのかかわりのなかで、自分を役立たせることが、人としてのいちばんの喜びなんじゃないかなと思います。

第五章

日本を元気にする「令和人」育て

いじめられたら抵抗すべき

白坂　日本はいじめの問題が深刻です。子ども同士だけでなく、教師が同僚教師を集団でいじめるなどという、驚くような事件までありました。なかなか根本的な解決策が見つからないのですが、アメリカにもそうした問題はあるのですか？

ケント　あります。僕の長男は、都内のアメリカンスクールに通っていたんですが、そのときいじめっ子が一人いましてね。その子の親は、日本に進出する外資系企業のコンサルタントをやっている人で、僕も顔見知りでした。その子がうちの息子を目の敵にしていたんです。

それで、ある日、その子が学校の食堂でランチを全部ひっくり返して、息子に投げつけるという事件が起こりました。アメリカンスクールでは、そういう喧嘩のことをフードファイトといって、絶対禁止でした。息子は怒鳴って抗議したんですが、相手が暴力に出て、結局二人とも停学になったんです。

そのとき僕が息子に言ったのは、「ルールを破ったんだから停学になるのは仕方ない。二、三日、家でゆっくりしなさい。だけど、喧嘩を吹っかけてきたのは向こうなんだから、抵抗するのは当たり前だ。おまえは悪くない」ということでした。僕は、卑怯なやつが喧嘩をしかけてきたら、それに屈する必要はないと思っているんです。アメリカは、ある意味、自分で自分を守らなければならない社会ですから。

白坂　息子さんはお父さんに味方されて、ホッとしたんじゃないですか？

ケント　はい。女房に聞いたら、お父さんが帰ってきて叱られたらどうしようと、ずいぶん怯《おび》えていたようです。実は相手の子の親も、日本の外国人社会では嫌われ者だったんです。ああいう親の子どもだからな……と、ちょっと思いました（笑）。

息子は安心しましたが、「相手が一方的に暴力をふるってきて僕は我慢したのに、二人とも停学になるのはフェアじゃない」と言っていましたね。ですが、すべてがフェアというわけではないのが世の中です。良いこととは言えませんが、そういうジレンマを経験するのも、一つの人生勉強じゃないでしょうか。

白坂　日本では、いじめられる側が泣き寝入りしがちです。今のお話のように、いじめられたら抵抗していいんだと教えることも大切だと思います。

ケント　いじめられる側にも落ち度があった、というような言い方をする人もいますね。

だからやり返せない。日本の憲法のようなヘンな平和主義ですよ。
それから、周囲も見て見ぬふりをする場合が多いでしょう。へたにかばって、自分まで仲間外れにされるのが恐いからです。そこがアメリカとちょっと違うところで、アメリカでは、被害にあっている人や弱者を守ってくれる人が必ず出てきます。そのせいで孤立したらどうしようとは考えません。

白坂 日本も昔はクラスに必ず一人は〝正義感のあるガキ大将〟タイプの子がいて、いじめっ子をやっつけてくれたんですけれどね。今はみんなが平均的で、そういう子はほとんどいなくなりました。

弱い者いじめは許さない

ケント 普通のアメリカ人は、伝統的に「弱い者いじめは絶対に許さない」というマインドを持っているんです。そういう現場に遭遇したら必ず止めに入るし、止められないほどひどい場合は警察に通報します。そのまま野放しにはしませんね。

白坂 やはりそれは、キリスト教の精神と関係しているんでしょうか？

ケント　新約聖書には、「善きサマリア人《びと》」というお話が出てきます。

あるユダヤ人が追いはぎに襲われ、路上に置き去りにされて死にかけていました。そこを通りかかったユダヤ教の祭司とレビ人（下層祭司）は、見て見ぬふりをし、何もせず通り過ぎてしまいます。そして次にやってきたサマリア人だけが、そのユダヤ人を介抱するんです。宿まで連れていってお金まで払い、回復するまで面倒を見てあげてくださいと頼むんですね。

当時サマリア人は、ユダヤ人から異端者とされ差別され、迫害されていました。本来なら助けたくもない相手を、そのサマリア人は助けたことになります。いくら憎むべき相手であっても弱者は助けるべき。これが、キリスト教で言うところの「隣人を愛する」ことで、僕らは子どもの頃から、日曜日の教会でこれをイヤというほど教えられるんです。

白坂　だから、困っている人を見たら、本能的に放っておけないのですね。

ケント　それが刷り込まれています。ただ、人を助けるときは、上手に助けないと逆にたいへんな目にあいます。

白坂　上手に助けるとは？

ケント　たとえば路上で交通事故を目撃したら、自分の車を止めて被害者を助けようとしますね。そのとき、救助の仕方次第で、被害者が骨折するなどのアクシデントが起こることもあります。そんな場合、たとえ善意でしたことでも、「過失」として訴えられる可能性があるんです。そのため、「善きサマリア人」の教えには反しますが、「かかわらないほうがいい」という考え方も出てきてしまうわけです。

白坂　みんながみんな救急医療の心得があるわけじゃありませんから、それは問題ですね。

ケント　でしょう。だから、アメリカでは州によって「善きサマリア人の法」という法律もあるんです。結果的に望ましくないことが起きたとしても、救助者の責任を問わないという法律です。

大人は子どもの異変に気づくべき

白坂　いじめ問題では、自殺にまで追い込まれてしまう子どもたちもいます。こんなことを言うと反感を買うかもしれませんが、親は何をしているの？　なぜ気づいてあげられないの？　と思います。

ケント　たとえば、以前、川崎の河川敷で、真夜中に三人の少年が中学一年生の男の子を殺害するという陰惨な事件があったでしょう。あれなども、あんな真夜中に子どもが外へ出ていたのに、親はなぜ気づかないのかと思います。気づいていたはずですよ。でも、気づいていても何もしない、できない。それが今の親が抱える問題です。

白坂　親だけでなく、大人全体の問題ですね。昭和一ケタ世代の親は、たとえよその家の子であっても、悪さをすればきっちり叱っていました。いつ頃から大人が知らんぷりするようになってしまったのかと、考えさせられます。

うちの場合、子育て期間中に、私がほとんど家にいてあげられる時間がありませんでした。ですから、逆に家にいる時間は娘たちの様子をものすごく気にして、細かいところまで見るようにしていました。

ケント　お嬢さんたちは、いじめにあうようなことはなかったんですか？

白坂　上の子が一時それで苦しみました。中学生のとき、部活で仲間外れにされたんです。

そのときも、やはり娘を見ていたら、何かいつもと違うとわかりました。元気がないし、顔色も悪いんです。ただ、「何かあったの？」と聞いても、最初はなかなか言わないんですね。それでも何度も声をかけるうちに、やっと「あのね……」と話してくれました。ご飯を食べるときも一人にされて、辛かったようです。

ケント　そのときはどうされたんですか？

白坂　すぐに担任の先生に相談しました。娘は最初「言わないで」とためらっていましたが、こういうことは大人がちゃんと指導すべきことだからと、娘にも伝えました。そうしたら、担任の先生が理解のあるいい方で、すぐに部活の先生にも話してくださり、あっという間に解決しました。

ケント　先生が無関心だったり、責任転嫁するようなタイプじゃなくて良かったですね。

白坂　子どもは、自分がいじめられていることを、親には話したがりません。心配をかけたくないという理由もあるでしょうし、「チクった」と言われていじめの倍返しをされるのも恐いからだと思います。でも、子どもは

どこかで必ず「助けて！」とSOSのサインを出しているはずです。異変に気づいたら、まず親が味方になってあげるべきだと思います。

人と違っていて何が悪い！

ケント　そもそも、白坂さんのお嬢さんは、なぜいじめにあったんですか？

白坂　「〇〇ちゃんのお母さんって、夜、家にいないんだって」という噂話から始まって、「〇〇ちゃんの家は、普通じゃない」。そういうことが原因だったようです。

ケント　多分、親が陰口を言っているんでしょうね。それを子どもが聞いて、そのままクラスで広めてしまう。

白坂　みんなに「普通じゃない」と言われてしまうお母さんが嫌だったんでしょうね。娘たちの反抗期はひどかったです。「たまたまご近所にはママみたいな人はいないかもしれないけれど、住んでいる場所や国でみんな環境が違うんだから、人はみんな同じじゃないのよ」と言い聞かせたこともありました。

でも子どもですから、すぐに理解するのはむずかしいんですね。小学校五、六年生から高校一年生くらいまで、私と一切口をきいてくれませんでした。長かったです。成長期の大切な時期にそばにいてあげられませんでしたから、多分寂しさもあったのだと思います。罪滅ぼしのつもりで、下の子のときは高校の三年間ずっとＰＴＡの役員をやりました。

ケント　今はもう白坂さんのお仕事を理解しているんですか？

白坂　はい。長女は、今年大学三年生ですが、私の店と、それから私の友人のワインバーでアルバイトをしています。次女は大学二年生になります。二人とも大人になって、私の本やインタビューが載った雑誌なども読んでいるようで、「ママもあの頃たいへんだったんだな」とわかってくれたようです。無事に育ってくれて良かったです。

ケント　本当ですね。将来が楽しみです。

「競走」しない子どもたち

白坂　最近はいろいろなところで「ダイバーシティ」という言葉を耳にします。社会全体がお互いの違いに対してもっと寛容になろうという取り組みのことだと思うのですが、実際は、今お話ししたように、子どもたちの世界ではいまだに「人と違う」「変わってる」が、いじめの原因になっています。人にはそれぞれ個性があって、世の中はそうした多様性で成り立っているのに、やっぱり少数派ははじき出されてしまう。理想と現実の差は、なかなか埋まりませんね。

ケント　多様性を認めない教育をしたのは日教組ですよ。そもそも日教組は、教育の現場に競争を持ち込むなという考えなんです。だから日本では、あるときから学校の運動会で駆けっこをしても、順位をつけなくなったでしょう。すべて横並びにして、全員参加賞。「結果の平等」を求めるんですね。でもそれは、個性を認めないという意味で、逆に不平等じゃありませんか？

白坂　そうですよ。足の速い子には、「一等賞！　すごいね、頑張ったね」ともっと褒めてあげなくちゃ。

ケント　そう。学校がやるべきなのは、それぞれの個性の違いを平等に認めて伸ばしてあげること。つまり「機会の平等」です。だいいち、ビリだったのに「あなたも一番！」と言われたところで、負けた子もべつに嬉しくないでしょう。

僕も運動会は苦手で、大嫌いでした。中距離ならなんとかなるんですが、五十メートル走なんて瞬発力がないから全然ダメ。三等賞にも入ったことがありません。ただ、だからといって足の速い子を見て、悔しいと思ったり、劣等感を感じたことはなかったです。「なるほど、あいつは足が速い。でも、僕は勉強なら誰にも負けないぞ」と、子どもながら、人それぞれ輝ける場所が違うことをわかっていたのだと思います。

白坂　私の時代は運動会でもちゃんと順位をつけられましたが、若い人からは「徒競走のとき、みんなで手をつないでゴールした」などという話も聞きました。

ケント　もっとひどいのは、弁当持参禁止の学校があるという話です。豪華な弁当をつくってくれるお母さんもいれば、仕事が忙しかったり、料理が苦手という理由で簡素な弁当しかつくれないお母さんもいる。そうすると格差が生まれて不平等だと。みんなで一緒にお昼を食べるとき、劣等感を感じる子どもがいたら困るからだそうです。バカバカしいと思いませんか？

白坂　お弁当の中身に格付けするのは大人のほうで、案外子どもは「うちの母ちゃんの弁当まずい」とか言って笑っているかもしれません。差別やいじめにつながらないようにと、一つひとつ違いを取り除いてならしたら、結局、全員同じ顔で同じ行動をするロボットみたいな子どもができあがるだけです。ケントさんがおっしゃるように、本当にバカげています。

ケント　個性の否定ですよ。

個性を認めて伸ばす教育を

白坂　銀座のクラブの世界でも、私が若い頃は、バンバン稼いでナンバーワンを目指そうという野心の塊のようなホステスがたくさんいました。お客さまを「取った、取らない」で、ホステス同士が路上で大喧嘩するのもよくある光景でした。

でも今の子は、そういう露骨な売り上げ競争を嫌うんです。うちの店でも、昔はミーティングで「今月の売り上げナンバーワン」を発表したりしましたが、今はそういうやり方で競争心をあおっても、モチベーションを上げてくれる子は少なくなりました。良い悪いは別として、そういう気質の違いを理解しないと、ホステスもうまく育たない時代です。

今の学校は、競走はさせないとしても、別の形で子どもたちの個性を伸ばす教育は行われているんでしょうか？

ケント　それが、僕が思うに、日本の教育現場は昔からそこが苦手なんです。たとえば試験にしても、百点満点の上限から間違った分を減点する方式でしょう。そうすると、勉強ができる子ほど、失点を少なくするために苦手科目ばかり勉強することになります。その結果、得意分野の勉強に打ち込む時間が減って、力を最大限に伸ばすことができないんです。これはダーウィンの進化論に反します。ですから日本では、できる子のほうが学校をつまらなく感じているんじゃないでしょうか。得意な科目だけに取り組みたくても、少なくとも公立では無理でしょう。

白坂　アメリカの学校はどんなシステムですか？

ケント　僕が中学一年だったときからは、科目ごとに、つまり一時間ごとにクラスのメンバーが入れ替わり、能力別のクラスが組まれていました。今は小学校五年生からそうなっているそうです。

それだと、その科目をいちばん得意な子たちが一クラスになってどんどん進んでいけるんです。普通にできる子は、いくつかのクラスに無差別に分けられます。そして、できない子は特殊学級で基礎だけをしっかりと叩き込むことができます。

また、AP（アドバンスト・プレイスメント）といって、一定の成績を収めると大学の単位として認められるというプログラムがあって、僕も、高校二年と三年のときに、半年分の大学の単位を取ってしまいました。おかげで、大学の三年間ですでに必要な単位は四十もオーバーしていて、早く出て行けと言われました。結局、三年半で卒業しましたが。

白坂　日本でも一部の地域ではＡＰを導入し始めたと聞きました。でも、私の頃には、まったくその片鱗《へんりん》もありませんでした。できない子は落ちこぼれ、でき過ぎる子も能力を認めてもらえないのだから、別の意味で落ちこぼれてしまうんです。

うちの兄も数学が好きで、小学校六年生のときに高校の勉強をしていましたが、担任の先生に「余分なことをするな」とすごく叱られました。家庭訪問でも「お宅の息子さんは規律を守らない」とか「変わり者だ」などと言われたらしいです。

ケント　多分、教師が嫉妬しているんですよ。将棋の藤井聡太七段の連勝記録が話題になりましたが、おそらく彼のような天才は日本中にいるはずです。たとえばゲームやアプリの開発などの分野には、次世代のスターがゴロゴロいそうな感じがしませんか？

ただ、将棋のような実力主義で構築された世界でないと、日本ではその才能が発掘されにくいんじゃないかと思うんです。今のお話のように、単なる「変わり者」扱いされて終わりです。こうした「みんな同じであるべきだ」という教育が、いじめだけでなく、不登校や引きこもりといった問題につながっているんじゃないでしょうか。

日本の学校になかなか馴染めないのは帰国子女です。自分の考え方を積極的に話したり、個性を出したりすることが当たり前という外国の学校教育を受けた彼らは、画一的な教育スタイルに相当苦労します。

白坂　差別を生まないために「みんな同じであるべきだ」という教育をしたのに、その結果、差別を増長させているのですから本末転倒ですね。

ケント　アメリカのような移民国家でそんな考え方をしていたら、国が立ちゆきません。なにしろみんな違うのが当たり前ですから。僕が育ったユタ州も、ほとんどが同じ宗教の白人ばかりで、アメリカン・インディアンや、中国人、片方の親がオーストラリア人などの人が少しだけいるような環境でしたが、誰もそんなことは気にしていませんでした。

白坂　日本もこれから外国の人がたくさん入ってくるわけですから、違いを認めないとやっていけませんね。

ケント　そうです。日本の人口減少問題は深刻ですからね。出入国管理法が改正されて、外国人単純労働者の受け入れも始まりました。政府は「移民政策ではない」と言っていますが、事実上の移民受け入れにつながっていきます。これからは産業界だけでなく、日本の市民生活全体の在り方も変わります。教育も変わっていかなければなりません。

子どもには「自立心」を叩き込むべき

白坂　先ほど「引きこもり」という言葉が出ましたが、日本では最近、中年の引きこもりが問題になっています。政府の発表では、四十歳から六十四歳までの引きこもりの数は、推定で約六十四万人にも上るそうですよ。過保護なんでしょうか。五十歳の引きこもりの息子の面倒を、八十歳の親がみるなどという話もよく聞きます。

ケント　そんな息子、追い出してしまえばいいのに。食事もつくってあげなければいいんですよ。

白坂　昔の親ならそうしたと思いますよ。うちの父も一九三二（昭和七）年生まれですが、やはり厳しかったです。私など、小学校四年生の頃から中学生までは新聞配達をさせられましたから。高校生になってからも、また別のアルバイトをしましたし。

ケント　僕が生まれ育ったユタ州は、子だくさんの家庭が多いんです。前にお話ししたようにうちは六人兄弟でしたが、それでも平均です。そうすると、たいていの家では、とてもじゃありませんが、全員の遊ぶお金まで出してあげられません。ですから、子どもは嫌でも自立せざるを得ないんです。

幸い僕の家は経済的には多少ゆとりがありました。しかしそれでも、十六歳の誕生日に、親から「これからは、自分が遊ぶ金は自分で稼げ」と宣言されました。それで、父の友人が社長をしていた絨毯屋で働くことになったんです。ただ、その社長がいい人で、「お父さんに頼まれたから、ケント、きみを雇う。ただきみはまだ学生だろう。ここで働くより楽しいことがたくさんあるはずだから、まずそれをやりなさい。そして時間が空いたらここで働くといいよ」と言ってくれたんです。ですから比較的自由に働くことができました。とはいえ、もう親からお小遣いをもらえませんから、時間があるときはちゃんとフルタイムで頑張りましたが。

白坂　お小遣いはゼロですか？

ケント　アメリカの場合十六歳で車の免許を取りますが、車は必需品ですから、ガソリン代だけは親が出してくれました。

白坂　援助は最低限に抑えて、あとは突き放す。そのくらいの覚悟が、日本人の親にも必要ですね。

ケント　僕たちは、「学生のうちにアルバイトしておかないと、将来就職できないぞ」と言われました。バイト歴がないと、本当にちゃんと働く人間かどうかわからないので、企業の側も安心して雇えないんですね。家に引きこもって、ゲームばかりしていたような子では不安です。内定を出す前に、バイト先の社長に働きぶりがどうだったかをインタビューする会社もあります。

白坂　それはいいですね。

ケント　コンビニやファストフード店でバイトする大学生もいますが、あれは親の仕送りにつけ足すためでしょうね。しかし、それでも働かないよりはずっとましです。

白坂　お金の問題もありますが、アルバイトは社会を体験するいいチャンスです。実は、うちの店では、黒服と呼ばれるボーイは、ほとんど大学生のアルバイトを採用しているんですよ。

ケント　そうなんですか。何か理由があるんですか？

白坂　水商売は女性が主体ですから、上司が女性ということになります。男性スタッフのなかには、それがストレスなのか、屈折してしまう人もいるんですね。お店のボトルをこっそり横流しするなど、不正を働く人もいます。

その点、学生はそんな心配がありません。基本的な学力もあるし、教えたことは素直に聞いてくれる。ですから最初の店を持ったときから、私はずっと大学生を雇ってきました。最初は国立の東京海洋大学や、水産学部の学生がほとんどでした。

ケント　船に乗る若者たちですね。

白坂　はい。水つながりというわけではないんですが、そういった大学では、食品関連の企業に就職する学生が多く、水商売にも理解があるんですね。ただ、最近はご縁が少し途絶えていて、今は、母校の早稲田の学生がほとんどです。校友会といって卒業生の同窓会組織があるんですが、現役の大学生が手伝いにくることがあるので、そこで声をかけたこともあります。バイト生は、たいてい大学一年生から卒業するまで続けてくれるのですが、部活動のように上級生が下級生を指導してくれるのでたいへん助かっています。

ケント　白坂さんが身をもっておもてなしのイロハを教え込むから、どこへ出しても恥ずかしくない社会人に育ちますすよ。

白坂　ありがとうございます。私だけではなく、お客さまに育てられる面もあるんです。銀座のお客さまは、若者に目をかけ、惜しみなく応援してくれる方がほとんどです。うちの男の子たちを食事やお酒に誘ってくださることも多く、本当に貴重な体験をさせていただいています。それもあって、親御さんからも、ここで働いたおかげで挨拶や言葉遣いなどのマナーが身についたと感謝していただけることが多いんです。
就職活動の面接でも、銀座のクラブでアルバイトをしていたと言うと、それならきちんと躾《しつ》けられているだろうと評価が上がるそうです。実際、うちにいた子はみんないいところへ就職しているんですよ。

ケント　ちょっと意外なバイト先ですが、社会勉強をするにはこれほどいい場所はありませんね。

叱って伸びる子はいない

ケント　最近は社員教育に手を焼いている企業も多いようです。そこで、長年ホステスさんやボーイさんと接してこられた白坂さんに、若者を育てるポイントがあったら、ぜひお聞かせいただきたいのですが。

白坂　あまり偉そうなことは言えないのですが、私が気づいたのは、昔と違って叱って伸びる子が少なくなったということです。

ケント　昔は大人に叱られて「何くそ！」と奮起するパターンがありましたがね。

白坂　今はそれをやると萎縮してしまうんです。以前、こんなことがありました。

その日、あるお客さまから、「店に忘れものをしたから、今から取りに戻る」とお電話がありました。その忘れものとは、お客さまが入店の際にスタッフがお預かりした手荷物で、お帰りになるときお返しすべきところを、こちらがお渡しし忘れたものでした。完全にこちらのミスですから、本来ならお届けに上がるべきところです。

けれど、お客さまは「いやいや、もう車に乗ったから店まで行くよ」と、結局わざわざ足をお運びくださいました。店の前で無事に荷物をお渡しできたのはいいのですが、そのあとがいけませんでした。お渡しに出た二人の子が、「持って行かずに済んでラッキーだったね」などとヘラヘラ笑いながら戻ってきて、まったく反省の様子がないんです。当然、私は注意しました。「こちらのミスでお客さまにお手間をかけたのに、ラッキーとは何事ですか。もっと緊張感を持ちなさい」と。

そんなに厳しく叱ったわけじゃないんですよ。けれども、翌日になって、驚きました。出勤してきたその子たちに、いつものように「お早う」と声をかけたら、ビクッとすくんでしまって、目も合わせてくれないんです。「この人、恐いー」みたいな感じです（笑）。それからは、何を言っても聞いてもらえませんでした。

ケント　あきれますね。では、どうすれば良かったんですか？

白坂　注意するにしても、私がその場で直接言うとショックが強過ぎるんですね。後日、それも私の下のチーママクラスの子にそれとなく話してもらう。それくらいが良かったんだと思います。以来、私はうちの子たちを直接叱ることは一切ありません。私もあきれますが、これが今の若い人なのだと悟りました。叱っていいことは一つもありません。上司はもっと人間力をつけて、育て方を工夫するしかない時代なんですね。

ケント　悟りまで開いてしまいましたか（笑）。人間力というより、忍耐力ですね。しかし、叱って伸びないとしたら、どうしたらいいんでしょうか？

白坂　私の場合は、褒めて育てるようにしています。

心に響く褒め言葉とは？

ケント　褒め方のポイントを教えてください。

白坂　今の子たちは、「頑張ってるね」「その調子！」程度の褒め言葉では、どうやら褒められたとは思わないようなんです。ですから、たとえばこんな調子。「この前お客さまにあなたが言ったひと言、あれ、すごく絶妙で良かったわ。お客さまは落ち込んでいらしたけれど、あのひと言で元気になってお帰りになったでしょう。素晴らしかったわ」（笑）。ここまで具体的に細かく褒めないと響かないんです。

ケント　より忍耐力が必要ですね。母の大きな愛で包み込むような気持ちでしょうか。

白坂　はい。ただ、自分の子どもの頃を思い返してみますと、母親もそこまで優しくないんですね。私など、うちの母から一度も褒められた記憶がないほどです。ところが、そんな母でも、孫はとにかく盛大に褒めるんです。父もそう。娘の私のことは認めてくれなかったくせに、孫にはデレデレで褒めまくっています（笑）。

そんな様子を見ていますので、最近、企業から人材育成をテーマに講演会のご依頼をいただくと、こうお話しするようにしているんです。「子育てではなく、孫育てのつもりで従業員に接しましょう」と。

ケント　なるほど。それはわかりやすい。僕の場合は十一人も孫がいますので、そんな丁寧に褒めている時間はありませんけれども（笑）。

白坂　実際、社員は孫でもなんでもありませんから、褒めるのは、かなりエネルギーがいることです。でも、そうやって手間暇かけて一人ひとりを育てていかなければ、全体の業績が上がらない時代です。

ケント　最近の若いホステスさんは競争意欲が低いというお話もありました。そういう子たちは、どうやってやる気にさせたらいいですか？

白坂　彼女たちは、同僚との競争やお金儲けより、お客さまに喜んでいただくなど、〝いかに人の役に立つか〟のほうに興味があるんです。

ケント　なるほど。ソーシャル・ビジネス的な考え方なんですね。

白坂　そうです。なかには、私がお手伝いしている「銀座ミツバチプロジェクト」に興味があって、うちに来てくれたホステスもいます。彼女たちに言わせれば、何らかの形で社会貢献できないような仕事は「ブラック」なんです（笑）。

ですから、褒めてモチベーションを高めるのは同じですが、褒めるポイントは、ホスピタリティに焦点を合わせることです。「あなたのおかげで、お客さまがくつろいでいらっしゃった」「あなたのおかげで、お客さまの接待がうまくいった」などの言葉が嬉しいようです。

ケント　「あなたのおかげで、お客さまがボトルを入れてくれた」ではやる気になってくれないんですね。

白坂　そうなんですよ。それがわかっていますので、銀座の他のお店では、成績が上がらなければ即・戦力外通告をしますが、うちはノルマがなく、こちらから切ることもありません。ただ、ビジネスですから、売り上げがまったく上がらないのでは困ります。

そこで実践しているのが、小さな目標を立てることです。たとえば「ハロウィンの一週間は五組のお客さまを呼びましょう」など、ハードルを低くしておいて、それを飛び越えてもらう。一週間くらいなら頑張れますので、無事クリアしたら「良かったね」と思いきり褒めてあげれば達成感を味わえます。その小さな達成感を積み重ねるという方法です。これを繰り返すことでお互いの信頼関係ができるし、彼女たちも少しずつ筋力をつけていくんですね。

いいところを引き出してあげる

ケント　褒めるためには、相手をよく観察していないといけませんね。

白坂　はい。いくら褒めてもポイントがズレていたら相手の心に響きません。ですから、自分で言うのもおかしいですが、私は本当によく女の子たちを観察しています。それは、褒めるためだけではなく、その子のいいところを引き出してあげたいという気持ちもあるからです。先ほどソーシャル・ビジネスという言葉が出ましたが、うちで働く女の子は、将来何かやりがいのある仕事をしたいと考えている子が多いんです。でも、それが何なのかまだわからない。一生懸命模索しているんですね。

ですから、たとえばメールを書くのが上手なら、「あなたの文章はすごくイキイキとしていて、思わず引き込まれるわ。書く仕事をするのもいいんじゃないかしら？」などとアドバイスしてあげることもあります。そうすることで本人に目標ができると、気持ちに張りが出て、今やっている仕事も頑張れるようになるからです。

ケント　一人ひとり観察するとなると、かなりたいへんじゃないですか？

白坂　そうですね。半年くらいで辞める子も多いので、その間は「やってるわね」「元気かな？」程度しか見ません。でも、半年以上続くようなら、かなり本腰を入れてその子の長所や個性を探してあげなくてはと思います。お客さまから「彼女、最近ゴルフを始めたらしいよ」などとうかがった情報もしっかりインプットしておくんですよ。

ケント　クラブの経営者というより、キャリア・コンサルタントですね。

白坂　そんな側面もあるかもしれません。でも、彼女たち一人ひとりが輝いてくれれば店も輝きますし、銀座全体の活性化にもつながりますので。

ケント　子育てもそういうつもりでやれば、日本が元気になります。

ディベートのすすめ

ケント　僕が日本を大好きな理由の一つに、日本人の謙虚さがあります。自分だけが一方的にしゃべるのではなく、人の話もよく聞くし、不用意にでしゃばることもありません。ただ、遠慮が過ぎるのか、自分の意見をはっきり言わない点が気になります。国際社会では、相手を押しのけてでも発言するような人の意見が通ってしまうこともあります。そんな場で負けないためにも、これからはもっと発言力を磨くべきだと思います。

白坂　そうですね。意見はしっかり持っているのに、人前でうまく話せないという理由で口を閉ざしてしまう人もいます。議論慣れしていないのは確かです。

ケント　アメリカでは、高校からディベートの授業があって、嫌でも議論のやり方を勉強します。大学まで卒業した人なら、人生で千回以上の経験を積むことになりますから、みんなけっこう場慣れしてきます。

白坂　うらやましいです。日本も学校で教えてくれるといいのですが。

ケント　ディベートは楽しいですよ。僕の場合、授業だけでは飽き足らず、高校時代はディベート部に所属したくらいです。そんな経験から、自分には人と討論するような仕事が向いているんじゃないかと思うようになり、弁護士になったようなものです。

白坂　そうだったんですか。ディベートの面白さは、どんなところにあるんですか？

ケント　そもそもディベートとは、一つの公的なテーマに関して肯定派と否定派の立場に分かれて議論し、第三者が勝敗を決めるというゲームです。肯定派になるか、否定派になるかはクジ引きなどでランダムに決められますから、本当は賛成でも、反対の立場に立って意見を述べなければいけないこともあります。

面白いのは、そうやって自分の個人的な主義主張とは関係なく、与えられた立場になり切ってテーマと向き合うことです。信じてもいない考えを人前で自信満々にしゃべるのですから、僕など、まるで舞台俳優になったようで楽しかったですね。

それに、本心は賛成でも、反対派の視点に立ってみると、自分の考えに矛盾が見つかることもあります。客観的な視点からものを考えられるようになるのもいい点です。

白坂　勝敗は、説得力があるかどうかで決まるんですか？

ケント　そうです。そのためには資料を集め、きちんと理由や筋道を立てて、論理的に話を進めていかなければいけません。本当にいい経験です。

白坂　議論というと、ついヒートアップして喧嘩腰になってしまう人もいますね。

ケント　協議のなかで感情的になっても成績にはなりませんが、負けると「面子《めんつ》を潰された」とカッカしたり、「一生の敵」と相手を恨んだりすることがあります。でも、ディベートはあくまでもゲーム。スポーツ試合のようなものなんです。勝敗はその場限りのもので、その後の人間関係には何の影響もありません。

『朝まで生テレビ！』だって、あれがディベートと呼べるかどうかはさておき、番組中は侃々諤々《かんかんがくがく》やり合っても、終わるとみんなで仲良く打ち上げをしていますからね。

白坂　そうだったんですね。スポーツのようなものだとすれば、練習すれば、誰でもある程度上達するということですね。

ケント　はい。以前、僕の講演会で、最後にワークショップ形式で、参加者にディベート大会をしてもらったことがありました。みんな初めての体験で、やはり、なかなかうまくいきませんでした。でも、体験することで、「練習すれば、発言力がつくことがわかりました」と、ディベートの効果は実感してくれたようです。

人前で堂々と主張できるようになるし、多角的なものの見方ができるようにもなります。学校で習わなければ、ぜひ友人グループでチャレンジしてみるといいんじゃないでしょうか。自分の意見をはっきり言えるようになると、人生がもっと楽しくなりますよ。

どんな人も、誰かをハッピーにする力がある

白坂　逆に、議論は得意でも、日常のちょっとしたコミュニケーションが苦手な若者もいます。銀座でも、最近のホステスは、お客さまにアフターに誘われても「いいです、帰ります」なんて言っちゃうんです。

ケント　それでは仕事にならない。

白坂　そうなんです。せっかくお客さまと親しくなるチャンスなのに。アフターは、お店が閉店した十二時過ぎからのお付き合いですから、確かに、そこから飲みに行ったりカラオケに行ったりするのはしんどいというのもわかります。でも、それだけではなく、今の子は、仕事以外でお客さまとどうコミュニケーションを取っていいか、わからないんですね。ご馳走していただいたら、あとでお礼をしなければいけませんが、そういうやり取り

も面倒臭いようです。一般の会社でも、最近は上司のお誘いも平気で断るというお話をよく耳にします。親しい友人同士なら何でも話せても、そうでない人が相手だと、とたんに口下手になってしまうんです。

ケントさんは、日本語が母国語ではないのに、コミュニケーションがお得意で、誰に対しても友好的でいらっしゃいます。何か秘訣があるんですか？

ケント　僕が初めて日本に来たのは、一九七一（昭和四十六）年、十九歳のときでした。末日聖徒イエス・キリスト教の伝道という使命を受けて、日本で二年間生活したんです。

ご覧になったことがあるかもしれませんが、伝道というのは、それこそ街で知らない人に声をかけなければいけません。そんなスタートでしたから、下手な日本語でしたが、臆さず人に話しかける基礎ができたのかもしれません。

白坂　そうでしたか。日本語はどこで勉強されたんですか？

ケント　それが、伝道に出るのは自分自身が志願したことですが、どこへ派遣されるかは教会が決めるのが規則だったんです。ですから、行き先は日本と言われたときは、「えっ、それはどこ？」というくらいで、もちろん存在は知っていましたが、日本については何の知識もなかったんです。当然、日本語などひと言もしゃべれず、こちらへ来る前に、二か月間ハワイで研修を受けただけでした。

白坂　そうなんですか。日本のどちらへ行かれたんですか？

ケント　九州です。最初に街頭に立ったのは、福岡市の天神でした。

白坂　繁華街ですね。

ケント　ええ。まだ地下鉄がなくて、路面電車が走っていました。その交差点のいちばん人通りの多いところで、いきなり「こんにちは。お元気ですか？」とやるわけです。

白坂　あそこは商売人の街ですから、人懐こくて、比較的フレンドリーじゃありませんでしたか？

ケント　当時の日本、しかも九州には外国人がほとんどいませんでしたから、声をかけただけで、みなさん「あっ、ガイジンだ！」と珍しがって立ち止まってくれるんですね。だから助かりました。ただ、ハワイで勉強した二か月間では、伝道に必要な基本的な会話のマニュアルを覚えるだけで精一杯でしょう。最初に声をかけるまではいいんですが、誰も教科書通りには返事を返してくれないので困りました。

　しばらくすれば、ちゃんとした会話ができるようになりましたが、私の日本語力とは関係なく、その二年間でできた友達が今も全国にいます。

白坂　貴重な体験でしたね。

ケント　はい。そんな体験を通してわかったのは、こちらが心を開けば、相手もちゃんと応えてくれるということでした。

実は、今も僕は、どこへ行っても何かひと言声をかけるのが好きなんです。たとえば、番組に出演するとき、普段、出演者に完全に無視されているカメラマンや照明のスタッフにもあえて一言声をかけます。そうすると、きれいに映してくれます。居酒屋で食事をした帰りに、できる限り調理場の方々に「たいへん美味しかったですよ！」と感謝を述べます。

白坂　私もそうなんです。母に言われたのは、挨拶するのでも「こんにちは」だけじゃなく、もうひと言残しなさいということでした。

ケント　決まり文句以外の言葉が効果的ですね。

白坂　ええ。ですので、私もケントさんのように、レストランへ行っても必ずウエイトレスの方やボーイさんに何か言いますし、タクシーに乗ったときは、運転手さんが感じのいい方なら「ステキな声ですね。声優さんみたい」なんていうことまで言ってしまいます。娘からは「ママ、なんでそんなに知らない人としゃべるの？」と怪訝な顔をされますが（笑）。

ケント　日本人はシャイなので、自分の気持ちをあまり表現しません。でも、ちょっとしたことでもひと言会話を交わすだけで、必ず微笑み返してくれるので、気持ちいいです。

白坂　本当にそうです。今はネットで買い物はできてしまうし、店に行ってもセルフォーダー、セルフレジの時代です。黙っていても不便はありません。でも、人と会話したときの、あのフワッと心が温かくなるような感覚を味わえないのは、とても寂しいし、もったいないことだと思います。

ケント　テレビに出始めた頃、家族で東京の表参道を歩いていて、二人の女の子からサインを求められたことがありました。でも、僕はそのとき、プライベートな時間であることを理由に断ってしまったんです。するとあとで女房に言われました。「あそこでサインしてあげれば、あの子たちをすごくハッピーにしてあげられたのに」と。そのとき、ハッとしました。本当に女房の言う通りなんです。自分には人を幸せにする力がある。

自分の存在など小さいと思っている人もいるでしょう。でも、人は、その行動や態度一つで、誰かを幸せにすることができる。もしかすると、相手の人生に何か大きな影響を与えることだってできるかもしれません。どんな人もその力を持っています。仏頂面をしていたって、周りも不機嫌になるだけです。ぜひ自分のカラを破って、人に話しかけてみてください。

人生はチャレンジするから面白い

白坂　人付き合いだけでなく、人生で自分のカラを破るのは、怖いことかもしれません。無難な道を歩んでいれば、失敗も少ないし、なんとなく安心ですから。でも、成長のためには、ときには冒険することも大切ですね。

ケント　そうです。白坂さんが銀座でクラブを経営する道を選んだのも、女性があまり活躍できない当時の狭い社会から抜け出して、自分の可能性にチャレンジするという冒険だったと思います。やはり、勇気を出して一歩飛び出してみなければ何も変わりません。

白坂　ケントさんも、生まれ育った国を離れて日本での仕事を選ばれました。国に残るか、外へ出るか。大きな選択だったのではないですか？

ケント　そもそも若い頃に宣教師として日本に来ていなかったら、おそらく日本とかかわることは一生なかったでしょう。国際弁護士になるという発想も出てこなかったと思います。でも、いったん外へ出て広い世界を見てしまうと、価値観が大きく変わるんですね。

進路を決めるときも、もはや安定の道には魅力を感じなくなっていました。

父は会計事務所をやっていましたから、弁護士になった僕と組んで一緒に仕事をしたいと考えていたようです。確かにそれをやれば、地元では成功したでしょう。でも、そんな安定した人生がつまらなく思えたんです。当時は、日本語ができて法律がわかるアメリカ人はほぼゼロでした。それならば、自分が「日本とアメリカをつなぐ弁護士」という新しい道を切り拓こうと決めたわけです。

今の若い人に言いたいのは、リスクを怖れずチャレンジしてほしいということです。今はまだ明確なビジョンが見えなくても、とにかく一歩動いてみる。動けばいい仲間やチャ

ンスとも出会うでしょう。可能性の扉が開いていくものです。

白坂　私も、まだまだ冒険を続けるつもりです。たとえば、今、「銀座ミツバチプロジェクト」で子ども会員をつくりたいというお話が出ています。私はそれをさらにバージョンアップして、「銀座村」の大人たちが、子どもたちにさまざまなことを教える、寺子屋のようなものをつくれないかと考えているんです。

ケント　それ、いいですね。銀座には日本人の精神性と一流の文化やアートが揃っています。それぞれの分野のプロたちが、学校では教えてくれない素晴らしい教育をしてくれるんじゃないでしょうか。

白坂　そうなんです。大げさですが、私の夢は、これからの子どもたちが大人になったとき、「日本に生まれてきて良かった」と思えるような社会をつくることです。自分にお手伝いできることがあれば、どんなことにもチャレンジしていきたいと思っています。

おわりに

アルバイトホステスからスタートして、ずっと銀座という街でチャレンジし続けてきました。銀座が私を鍛え、育ててくれました。

銀座のために何かできないか……、生意気ですが、そんな気持ちは、やがて、「美しい文化、美しい伝統、そして美しく気高い日本人の心を取り戻したい」という大きな夢につながりました。

そんなとき出会ったのがケント・ギルバートさんでした。

これまでケントさんは、的確な歴史観で、戦後の自虐教育で指針を失った日本人に、自信と誇りを持って生きるためのたくさんのヒントをくださっています。

本書のなかでも、私が抱えていた歴史のナゾが次々に解けていきました。目からウロコとはまさにこのことです。日本人以上に日本を知り尽くし、日本を愛するケントさんとの対談は、とても楽しく、学びの連続でした。みなさまにも、この興奮が伝わるといいのですが。

余談ですが、対談も終わってしばらくしたある日、主人の部屋を大掃除していたら、ケントさんのご本がドッサリ出てきて驚きました。家庭のなかで政治や歴史の話をしたことはありませんでしたが、実は、夫婦揃って同じ方向を向いていたのですね。

そんなお話をよそでしたわけではありません。でも、最近、どなたかとお目にかかって読書の話題になるたびに、なぜか保守系のご本ばかりを薦めていただくようになりました(笑)。

私のつたない話を辛抱強く聞き、またフォローしてくださったケント・ギルバートさん、ありがとうございました。そして、この本を手に取り、最後までお付き合いくださった読者のみなさまに深く御礼申し上げます。

夜の銀座から

『稲葉』白坂亜紀

著者プロフィール

ケント・ギルバート

1952年、米国アイダホ州生まれ、ユタ州育ち。70年、米ブリガムヤング大学に入学。翌71年宣教師として初来日。経営学修士号（MBA）と法務博士号（JD）を取得したあと国際法律事務所に就職、企業への法律コンサルタントとして再来日。弁護士業と並行し、83年、テレビ番組『世界まるごとHOWマッチ』にレギュラー出演し、一躍人気タレントとなる。2015年、公益財団法人アパ日本再興財団による『第8回「真の近現代史観」懸賞論文』の最優秀藤誠志賞を受賞。読売テレビ系『そこまで言って委員会NP』、DHCテレビ『真相深入り！虎ノ門ニュース』などに出演中。
近著に『リベラルの毒に侵された日米の憂鬱』（PHP研究所）、『米国人弁護士だから見抜けた日弁連の正体』（育鵬社）、『永田町・霞が関とマスコミに巣食うクズなんてゴミ箱へ捨てろ！』（祥伝社）、『「パクリ国家」中国に米・日で鉄槌を！』（悟空出版）、『本当は世界一の国 日本に告ぐ大直言』（SBクリエイティブ）、『性善説に蝕まれた日本 情報に殺されないための戦略』（三交社）、『天皇という「世界の奇跡」を持つ日本』（徳間書店）、『世界は強い日本を望んでいる』（ワニブックス）、『トランプは再選する！ 日本とアメリカの未来』（宝島社）、『私が日本に住み続ける15の理由』（星雲社）、曽野綾子氏との共著に、『日本人が世界に尊敬される「与える」生き方』（ビジネス社）がある。

白坂亜紀（しらさか あき）

大分県竹田市生まれ。早稲田大学第一文学部入学後、日本橋の老舗クラブにて勤務、女子大生ママとなる。1996年、銀座にクラブ2店舗を開店。2007年、GSK（一般社団法人銀座社交料飲協会）理事になり、現在は副会長。11年、京都造形芸術大学東京学舎において、「銀座のママに学ぶ、人間力、女子力、ビジネス力」のテーマで講座を持つ。13年、志高い女性の会「銀座なでしこ会」を発足、銀座から日本文化を発信する。15年、銀座料理飲食業組合連合会理事、大分県竹田市東京事務所所長、16年、銀座ミツバチプロジェクト理事に就任。店舗経営のほか、全国での講演会、テレビ・ラジオ出演、新聞・雑誌への寄稿など、精力的に活動している。著書に、『銀座の秘密―なぜこのクラブのママたちは、超一流であり続けるのか』（中央公論新社）、『銀座の流儀「クラブ稲葉」ママの心得帖』（時事通信社）がある。

公式ブログ：https://ameblo.jp/ginza-inaba

銀座の美人ママとダンディ弁護士の 粋《いき》で鯔背《いなせ》なニッポン論

2020年4月1日　第1刷発行

著　者　ケント・ギルバート　白坂亜紀
発行者　唐津　隆
発行所　株式会社ビジネス社
〒162-0805 東京都新宿区矢来町114番地
神楽坂高橋ビル5階
電話 03(5227)1602　FAX 03(5227)1603
http://www.business-sha.co.jp

カバー印刷・本文印刷・製本/半七写真印刷工業株式会社
〈カバーデザイン〉藤田美咲
〈写真撮影〉後藤さくら
〈本文デザイン・DTP〉茂呂田剛（エムアンドケイ）
〈編集担当〉山浦秀紀　〈営業担当〉山口健志

ISBN978-4-8284-2169-8